La mort n'est pas une chose si sérieuse :
la douleur, oui.
L'art est peu de chose en face de la douleur
et, malheureusement, aucun tableau
ne tient en face des taches de sang.

André Malraux,
l'Espoir

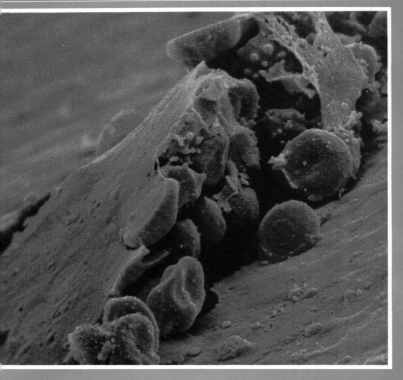

T:00 00 00

La blessure a déchiré la paroi du vaisseau.
Par la brèche, les globules rouges
baignant dans le plasma
s'échappent en flots.
Vue au microscope électronique,
l'image de l'hémorragie.

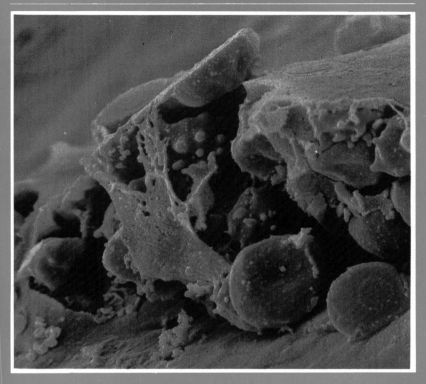

T:00 00 01

La paroi se contracte, réduisant le calibre
du vaisseau et le débit sanguin.
Des signaux chimiques alertent
les plaquettes, minuscules cellules
de deux à trois microns qui circulent
librement dans le sang.

T:000004

Répondant à l'appel,
les plaquettes accourent
et se déplacent rapidement.
Elles déploient leurs pseudopodes.

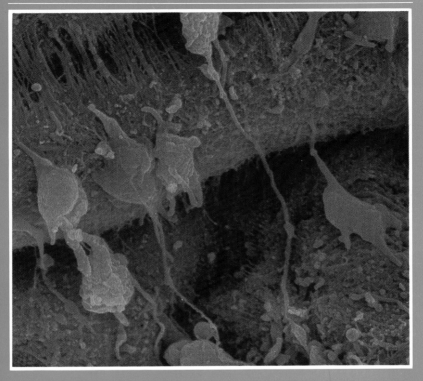

T: 00 00 10

Les premières arrivées sur le lieu
de la blessure adhèrent et se collent
sur les bords de la brèche.
Elles libèrent aussitôt
des éléments chimiques
qui attirent d'autres plaquettes.

T:00 00 20

De plus en plus nombreuses,
les plaquettes s'agrègent entre elles,
et forment un caillot blanc et lâche
qui obture la brèche
et arrête le saignement.
C'est la fin de l'hémostase.

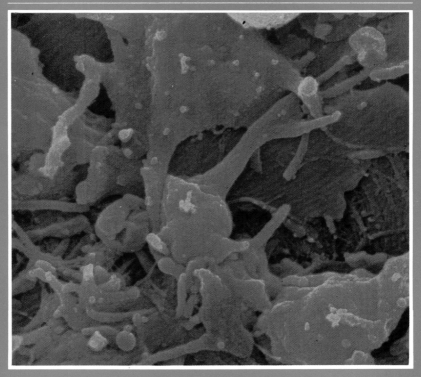

Mais les plaquettes libèrent encore
des activateurs de la coagulation.
Grâce à eux, la fibrine peut enserrer dans
ses filaments ce premier caillot avec les
globules rouges emprisonnés, pour les
transformer en un caillot brun plus solide.
C'est la coagulation.
L'hémorragie est arrêtée.

J acques-Louis Binet est professeur à la faculté de Médecine de l'université Paris-VI et chef du service d'hématologie du groupe hospitalier Pitié-Salpêtrière. Les beaux-arts, une autre passion, l'ont conduit à enseigner l'art moderne à l'Ecole du Louvre. Des textes originaux de Jean Bernard, Marcel Bessis, Marc Gentilini, Pierre Golliet, Pierre Legendre et Charles Salmon figurent dans «Témoignages et documents».

Ce livre a été publié à l'occasion de l'exposition «le Sang des hommes», à la Cité des Sciences et de l'Industrie (29 mars - 31 juillet 1988). Il a bénéficié du concours du comité scientifique de l'exposition, de Pierre Cathel, et de l'équipe des expositions temporaires de la C.S.I.

Responsable de la rédaction et coordination : Michèle Decré

Tous droits de traduction et d'adaptation réservés pour tous pays © Gallimard/Cité des Sciences et de l'Industrie 1988 Dépôt légal : mars 1988 Numéro d'édition: 43163 ISBN 2-07-053047-7 Imprimé en Italie

LE SANG
ET LES HOMMES

Jacques-Louis Binet

DÉCOUVERTES GALLIMARD
CITÉ DES SCIENCES ET DE L'INDUSTRIE

Dès l'origine, l'homme conjugue et accorde le sang au monde de ses passions, de ses rêves ou de son corps. A ce symbole de vie et de mort, à cet objet de connaissance et de magie, les sociétés ont prêté des pouvoirs bienfaisants ou maléfiques. Aujourd'hui, alors que l'hématologie, science du sang, s'écrit dans la langue de la biologie moléculaire, cette ambiguité ne s'est toujours pas dissipée.

CHAPITRE PREMIER
LES POUVOIRS DU SANG

Offrir du sang à la divinité, c'est lui rendre grâce et assurer la survie du groupe et de la société. En Grèce, aux victimes humaines se substituent très vite des animaux dont le sang apaise aussi les dieux. Dans la symbolique du christianisme, Jésus, l'Agneau de Dieu, donne son sang en expiation des péchés. De victime, il devient sauveur.

L'image du sang apparaît dès la préhistoire

La signification des tracés de blessures sur le plafond des grottes reste incertaine. Le pigment rouge n'est pas forcément lié au sang puisque l'homme de la préhistoire ne dispose que de deux couleurs : le noir et le rouge. Les bavures du pigment hors du contour sont-elles plus significatives ? C'est par les taches à l'intérieur du corps – comme celles du bison effondré sur ses pattes, appelé le bison blessé de la grotte de Niaux – et surtout par les dessins et les signes de blessures d'animaux que sont figurées les premières images du sang.

Ces images sont rares, et les historiens de l'art comme les médecins n'ont cessé de les interroger. Pour les hématologistes, elles traduisent la naissance de leur discipline, c'est-à-dire la première perception par l'homme de la relation fondamentale entre le sang et la vie.

Elie Faure y voit la première trace visible de la religion ou, plutôt, le premier lien entre art et religion. L'art développe la religion en donnant une réalité concrète aux images heureuses ou terribles

Figurant des mammouths et des bisons, les peintures rupestres sont liées à la chasse. Sur ces représentations, l'œil apprend à repérer les endroits sensibles, à viser les points névralgiques où il sera capital de frapper.

sous lesquelles l'univers apparaît à l'homme.

Selon Georges Bataille, la représentation de l'animal blessé permet à l'homme de Niaux de résoudre la question lancinante de la mort. Regarder, figurer un animal – ou un homme – blessé revient à lui faire face et à dépasser la terreur de la mort.

Tentant de dépasser l'interprétation subjective, André Leroi-Gourhan a proposé une théorie des signes et des animaux : «Il y a en fait dans les bisons blessés deux séries de symboles : ceux de la mort représentée par les sagaies et les blessures, ceux de la vie suggérée par les signes des sexes. Le sang devient comme le tout-puissant symbole de la naissance et de la mort.»

En Mésopotamie, le signe «sang» véhicule la même ambiguïté

Au IIe millénaire avant notre ère, gravé sur les tablettes d'argile ou sur les maquettes d'organes d'animaux à usage divinatoire du site de Mari ou des villes de Babylonie, le mot sang apparaît sous la forme du signe cunéiforme :

Il désigne aussi bien le liquide sanguin que les vaisseaux qui le contiennent ou les états anormaux du sang : sang noir ou sang vicié. Il appelle aussi l'idée de la mort.

Enfin, il renvoie à la place dévolue au sang en Mésopotamie, dans les mythes de l'origine du monde et de la création de l'homme. Selon plusieurs récits, l'espèce humaine fut créée à partir d'un mélange d'argile, de chair et de sang d'un dieu mis à mort. L'homme porte ainsi en lui une parcelle divine, comme le

Les corpus médicaux assyriens débordent de descriptions de patients qui saignent : «Si un homme a une hémorragie du nez, [...] si l'urine contient du sang [...]». L'évolution d'une maladie, la signification d'un symptôme sont analysées par le médecin, «celui qui connaît les liquides», selon des méthodes inspirées de la divination. La pharmacopée utilise aussi le sang comme ingrédient avec des plantes.

raconte ce poème akkadien du XVIIᵉ siècle avant
notre ère :

«Ils égorgèrent dans leur assemblée Wé,
un dieu qui avait de l'esprit ;
A sa chair et à son sang,
Nintou mélangea de l'argile.
De la chair du dieu, il y eut un Esprit.
Vivant, il révéla l'homme par ce signe.»

En plus de sa fonction symbolique, le sang est un
élément essentiel de la connaissance empirique.
La volonté des dieux, l'issue d'une bataille, les
prédictions de l'avenir, l'évolution d'une maladie se
lisent dans le sang des sacrifices.

Selon les sociétés, le terme «sang» est emprunté aux vocabulaires religieux, médical, militaire ou politique

En effet, il n'existe pas, dans les différentes langues,
de mot qui désigne seulement le liquide sanguin.

Georges Dumézil s'est attaché à retrouver les
racines de ces termes dans l'ensemble linguistique
indo-européen. Les plus anciens noms connus, le
hittite *eshhar* et le sanscrit *asr-k*, qui datent du IIᵉ
millénaire avant J.-C., ne persistent que sous forme
de «fossiles», en grec *ear* et en latin *assir*.

Dans la Grèce classique, le terme *ear* est
remplacé par *haima* qui appartient à un petit groupe
de mots en «ma», inexpliqués, sûrement très
archaïques, dont plusieurs ont une connotation
religieuse. Ils sont à l'origine de termes des
sciences du sang usités dans les langues
romanes : hématologie, hématie,
hématopoïèse...

Le latin *sanguis*, qui contient le même élément
«san» que sanie (sang corrompu), peut être
apparenté au vieux latin *assu*. L'autre mot latin
cruor désigne le sang sorti du corps, le sang des
blessures et des sacrifices.

Dans les langues indo-européennes, des
substantifs voisins traduisent souvent l'idée de
chair saignante, de viande crue, de cruauté.

Le mot sang n'apparaît jamais isolé. Il suscite
toujours d'autres significations : la vie, la mort, les
dieux et les présages.

En Grèce, le vin se substitue parfois au sang dans les «douces libations» offertes aux mânes des défunts.

Saint Sébastien percé de flèches (ci-dessous), sainte Blandine et saint Irénée livrés aux lions, saint Matthieu et saint Denis décapités : les martyrs des premiers siècles du christianisme revivent la passion du Christ. Leur sang versé pour la foi est une semence de chrétienté, exalté par l'Eglise.

Le sang et la Bible

Dans l'Ancien Testament, l'alliance entre l'«Eternel» et le peuple élu est fondée sur le sang : le sang d'un agneau immolé qui marque les maisons des Hébreux et épargne leurs enfants quand l'«Eternel» frappe tous les premiers-nés d'Egypte. Le souvenir de cette alliance est commémoré par la pâque juive.

Dans le Nouveau Testament, c'est le sang du Christ, représenté symboliquement par le vin, qui est versé pour fonder et perpétuer une nouvelle alliance entre l'humanité et Dieu : «Ceci est mon sang, livré pour vous.» Par sa Passion, Jésus abolit tous les autres sacrifices sanglants et sauve l'humanité.

Le sang de la Bible, des martyrs, des crucifixions et des suaires n'est pas seulement une constante de la peinture européenne : il fonde, hors de toute adhésion spirituelle, une éthique et une civilisation.

L a mort du Christ eut lieu dans le sang et la souffrance. Flagellé avec des chaînettes de fer, coiffé d'une couronne d'épines et perdant abondamment son sang, Jésus fut mis en croix, ses mains et ses pieds percés de clous. Scène fondamentale de la foi chrétienne, la crucifixion a fait l'objet de nombreuses peintures plus ou moins sanglantes, selon les époques.

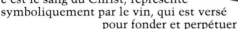

Le sang grec est celui des héros

Dans *l'Iliade*, les simples soldats troyens et achéens se battent, meurent sans que soient

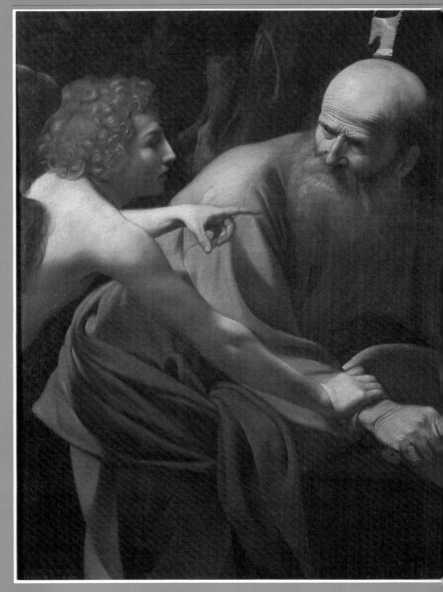

Dans l'Ancien Testament

Dieu, pour éprouver la foi d'Abraham, lui commande d'offrir en sacrifice son fils Isaac. Abraham obéit et, après avoir élevé l'autel et déposé le bois pour l'holocauste, il saisit le couteau pour immoler son fils. L'ange de Yahvé arrête son geste et lui dit : «N'étends pas la main contre l'enfant. Ne lui fais aucun mal. Je sais maintenant que tu crains Dieu; tu ne m'as pas refusé ton fils unique.» Abraham trouve alors un bélier emprisonné dans un buisson et le sacrifie à la place de son fils. Au-delà du message spirituel, ce récit implique la condamnation des sacrifices d'enfants, maintes fois prononcée par les prophètes. Le rituel des sacrifices dans l'Ancien Testament précise comment l'homme qui a offensé Dieu peut rentrer en grâce par l'offrande de victimes expiatoires. Celles-ci sont toujours des animaux (taureaux, béliers, agneaux ou chevreaux), immolés par le prêtre qui verse leur sang sur l'autel.

Du sacrifice au calice

❝ Or, tandis qu'ils mangeaient, Jésus prit du pain, le bénit, le rompit et le donna à ses disciples en disant : «Prenez et mangez, ceci est mon corps.» Puis, prenant une coupe, il rendit grâce et la leur donna en disant : «Buvez-en tous car ceci est mon sang, le sang de l'alliance qui va être répandu pour une multitude en rémission des péchés. Je vous le dis, je ne boirai plus désormais de ce produit de la vigne jusqu'au jour où je le boirai avec vous, nouveau, dans le royaume de mon Père. ❞

Evangile selon saint Matthieu

jamais décrites leurs blessures : «Alors retentirent à la fois plaintes et cris de triomphe des guerriers frappant ou frappés, et le sang ruisselait sur terre.» Sur ce fond de sang anonyme, le sang qui coule des plaies des héros, lui, au contraire, est très précisément décrit ; sang noir qui s'échappe de la ceinture de Ménélas et souille ses jambes, sang coulant de l'épaule de Diomède, sang chaud du coude blessé d'Agamemnon : «Agamemnon parcourut les rangs des ennemis, les attaquant à coups de lance [...] tant qu'un sang chaud coula encore de la blessure. Mais quand la plaie eut séché et cessa de saigner, de perçantes douleurs endolorirent l'ardeur de l'Atride.» L'homme grec est viril à la mesure du sang qu'il répand et qui coule des blessures ouvertes dans la chair chaude, celle de l'ennemi ou la sienne propre.

66 Le sang noir d'un homme, une fois répandu à terre, nul enchanteur ne le rappellerait là d'où il sortit. **99**

Eschyle,
l'Orestie

A l'intérieur de la cité de la Grèce classique, il est interdit de verser le sang : l'ordre social s'en trouverait menacé

Dans l'enceinte de la cité, on empoisonne, mais on ne fait pas saigner ; on se bat, mais hors les murs. On ne tolère plus la vue du sang. On l'enferme dans les récits, la

tragédie, où les descriptions sanglantes abondent et témoignent de la conscience aiguë qu'avaient les Grecs des pouvoirs attribués au sang. Celui-ci reste lié à la souillure, à la vengeance, à l'enchaînement du destin : «Les sanglantes gouttes, une fois répandues à terre, réclament un sang nouveau.» (Eschyle, *Choéphores.*)

Dans la tragédie grecque, le sang est, par excellence, celui des Atrides. Incestes, meurtres, folie du pouvoir, autant de visages de la fatalité et de la malédiction qui pèse sur cette lignée et qui coule dans les veines de chacun de ses membres. Clytemnestre (ci-dessus), femme d'Agamemnon, mère d'Oreste, d'Iphigénie et de Chrysothèmis — ne pardonnant pas à son mari d'avoir sacrifié Iphigénie — égorgera son royal époux.

A Rome, c'est le sang des étrangers qui apaise l'âme des morts

Dans l'Empire romain, du lait, du sang et du vin sont offerts aux défunts. Ceux-ci ont besoin de sang afin que leur âme ne rôde plus dans le monde des vivants et rejoigne celui des morts. Pour cela, elle doit se nourrir du sang des étrangers.

Les combats de gladiateurs — qui ne sont pas des citoyens romains, mais des esclaves ou des prisonniers de guerre — feront d'abord figure de rite funéraire, accompli parfois dès qu'est versée la première goutte de sang. L'amphithéâtre romain n'offre pas seulement au peuple un spectacle sauvage; il assure aux citoyens la paix de leurs morts. Le sang de l'arène

Les combats de gladiateurs, d'origine étrusque, ont d'abord eu pour but de rassasier les défunts avides de sang. Ces jeux du cirque, devenus très prisés à Rome, attirent vite des foules considérables. Esclaves ou captifs, entraînés au combat à cette fin, luttent entre eux avant d'être déchiquetés par des bêtes sauvages. Certains médecins, comme Celse, conseillent aux vieillards de boire le sang chaud des gladiateurs.

garantit la séparation entre la société des vivants et celle des morts.

Plus tard, au lieu des sacifices humains ou animaux, «dispendieux» et cruels, on se contente de teinter les vêtements du mort de la couleur du sang. On jette aussi sur le cadavre des draps de pourpre ou simplement des fleurs rouges.

Pour les Aztèques, les guerriers qui meurent sur la pierre des sacrifices forment un cortège autour du Soleil, avant de se transformer en oiseaux-mouches et de vivre dans les régions chaudes. Des milliers de victimes – guerriers, prisonniers ou volontaires – ont été immolées. Avec des couteaux cérémoniels (ci-dessous), les prêtres leur arrachent le cœur, qu'ils offrent au Soleil.

Les dieux aztèques avaient soif de sang humain

L'horreur des sacrifices exigés par le rituel de l'ancien Mexique, et répétés pendant plus de mille ans sur les marches des pyramides, ne peut être justifiée. Cependant, cette pratique s'insère non dans une morale, mais dans un système à la fois religieux et cosmologique où les offrandes régulières de sang et de cœurs assurent la survie du monde et de la société.

L'Aztèque lui-même n'est rien ; il n'existe que par son intégration à un ensemble, dominé par le Soleil, dont son cœur, son sang, restent totalement dépendants. Né de la Terre, le Soleil a anéanti les ténèbres et effacé les étoiles ; pour commencer sa course, il lui fallut du sang. Les dieux se sont sacrifiés : c'est de leur mort qu'il a tiré sa vie.

C'est aussi en se nourrissant d'«eau précieuse», c'est-à-dire de sang humain, que le Soleil trouve la force de continuer son parcours. Il ne s'agit pas d'holocauste ou d'expiation, mais d'un phénomène aussi naturel que la succession des jours et des saisons, la naissance et la mort.

En Normandie, au pied de Sainte-Vénice, les femmes accrochent des rubans blancs, pour demander l'arrêt des menstrues, ou des rubans rouges, quand elles souhaitent leur retour, liant leurs prières au cycle de la fécondité.

Le sang des femmes a longtemps revêtu un aspect maléfique

Les sociétés primitives instituent un véritable rituel autour de l'apparition des premières règles. Ainsi, chez les Yanomami du haut Orénoque, la jeune fille est isolée au fond d'une habitation où elle reste totalement nue. Toute nourriture, hormis des racines, et toute boisson, qui seraient en contact avec ses dents, lui sont interdites. Après une demi-lune, une fête est donnée pour qu'elle puisse rejoindre le foyer de ses parents. L'enfant est devenue femme.

Pourquoi ce rituel de réclusion ? Parce que le sang, qui aurait pu donner la vie, garde, même lorsqu'il est perdu, une force prodigieuse. Force capable d'agir sur les éléments naturels en déclenchant le déluge, la tempête ou la foudre, par exemple, ou sur les êtres vivants par la pétrification des hommes. Cette puissance s'exerce aussi sur la jeune femme elle-même dont la vie peut être abrégée par un vieillissement prématuré.

Cette croyance dans le pouvoir maléfique du sang menstruel se retrouve en de nombreuses sociétés traditionnelles : en Poitou, en Anjou et en Bretagne, les abeilles meurent, les champignons flétrissent, le vin tourne, la viande s'abîme, les conserves se gâtent et les miroirs se ternissent.

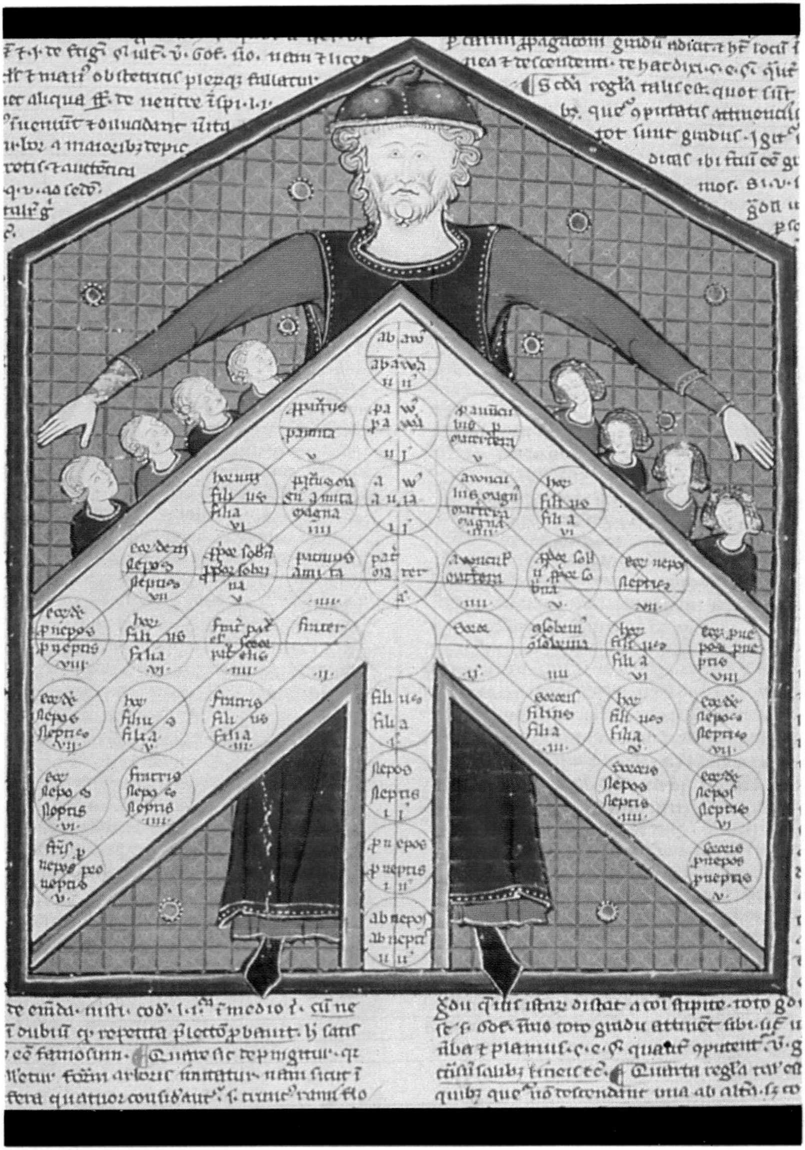

Paradoxalement, ce pouvoir malfaisant, lié à celui de la lune, peut devenir vertu thérapeutique. La pharmacopée du Moyen Age abonde de potions magiques où le sang menstruel vient calmer les douleurs de la goutte, tarir l'écoulement des écrouelles ou guérir les fièvres tierces.

Les liens du sang fondent les relations de filiation

Dans la conception traditionnelle de la procréation, le sang est directement lié à la transmission de la vie. Il irrigue le corps et circule, physiquement et directement, d'une génération à l'autre. Rome l'ignore en partie : le maître désigne parmi ses enfants biologiques ou ses esclaves le ou les fils qu'il adopte.

En France, depuis le Moyen Age, cette conception s'est confondue avec la pratique de l'arbre généalogique, où, sous couvert d'établir des filiations, s'expriment des conventions sociales et politiques. Au pouvoir du sang se superpose un pouvoir plus fondamental, celui de la parole et de la loi.

La Couronne de France se transmet par les mâles, alors qu'en Angleterre le droit d'aînesse n'est pas limité par le sexe. Après la Révolution, ce ne sera plus en Dieu que les arbres généalogiques français prendront leurs racines, mais dans la patrie, qui seule désormais pourra exiger le sacrifice de ses enfants.

Marguerite Gautier, l'héroïne d'Alexandre Dumas fils, ne sort jamais sans un bouquet de camélias, blancs pendant vingt-cinq jours du mois, et rouges pendant les cinq autres – signe de son indisponibilité amoureuse pour ses amants éventuels et provocation vis-à-vis des femmes «honnêtes».

Image de la continuité, l'arbre généalogique (à gauche) sert aussi à séparer les générations, à différencier les sujets et fixer la place et le statut de chacun.

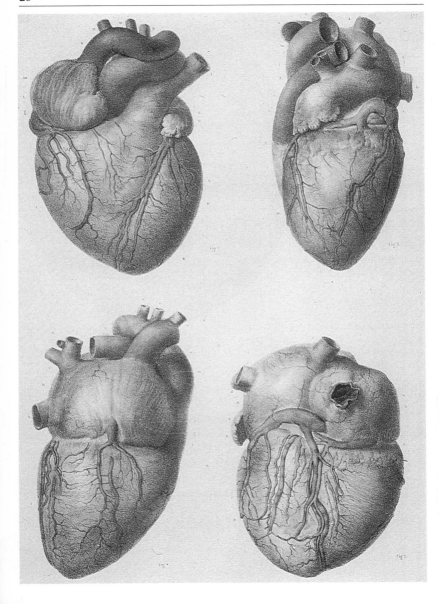

C'est dans le foie que Galien, au IIe siècle, situe la formation et la régulation du sang. Pendant mille cinq cents ans, personne n'ose réfuter cette idée. Quand William Harvey, médecin anglais, affirme en 1623 que le sang circule en un circuit fermé, chassé du cœur vers les organes, puis des organes vers le cœur, il déclenche une véritable révolution. Pourtant, il a raison et son raisonnement physiologique suscite aujourd'hui encore de nouvelles recherches.

CHAPITRE II
LE COURS DU SANG

Pour Galien, «prince des médecins», les artères contiennent, comme les veines, du sang et non de l'air ainsi que l'affirmait Hippocrate. Attaché, comme médecin, à l'école des gladiateurs, il a souvent l'occasion d'étudier leurs blessures. Il observe que le sang artériel est pur et «subtil» alors que le sang veineux est épais et «nébuleux».

Pendant quinze siècles, la théorie de Galien sur le cours du sang est un dogme immuable

Pour Galien, artères et veines sont animées d'un lent mouvement de va-et-vient qui ne se décrit pas en terme de débit, mais de transport de chaleur, de «pneuma», de nourriture et d'élimination des déchets. Le sang, produit dans le foie, y reçoit l'esprit naturel (ou pneuma), puis acquiert l'esprit vital dans le cœur et l'esprit animal dans le cerveau.

La lecture du corps se limite durant des siècles aux principes qu'il a fixés. Peu importent, plus tard, l'observation anatomique, les nouveaux raisonnements mathématiques : tout a déjà été dit par Galien.

En 1555, quand Vésale, anatomiste de renom, constate, lors de ses dissections, que la réalité n'est pas toujours celle décrite par Galien, il se garde bien de réfuter quoi que ce soit : «Dans la description du cœur, j'ai suivi en grande partie les dogmes de Galien, non pas que je crois que tout soit conforme à la vérité, mais parce que, dans un nouvel usage à donner aux organes, je n'ai pas assez de confiance en moi que je n'oserais m'écarter de longtemps, même de la longueur d'un ongle, de la doctrine de Galien, prince des médecins.»

Au XVIIe siècle, William Harvey découvre la circulation du sang et bouleverse toutes les idées reçues

Pour expliquer la circulation, Harvey applique au corps humain les principes de l'hydraulique. L'expérimentation, l'observation et la déduction remplacent l'interprétation des théories de Galien. C'est le premier exemple d'un raisonnement physiologique contemporain, où tout principe reçoit son illustration expérimentale.

Professeur au Royal College de Londres, puis médecin de Jacques Ier, William Harvey démontre l'existence et le sens d'une double circulation du sang en circuit fermé, actionnée par les battements du cœur. «Le mouvement du cœur est en somme une contraction musculaire.» Il décrit le cœur

En publiant, en 1629 *De Motu Cordis et Sanguinis*, un petit livre de 72 pages, Harvey est conscient du bouleversement qu'il va provoquer : «Ce que je dois vous dire au sujet de la quantité et de la source du sang qui passe est si nouveau et inédit que non seulement je crains de m'attirer l'envie de certains, mais encore je tremble de voir l'humanité tout entière se retourner contre moi. Car la routine séculaire finit par devenir une seconde nature.

Une fois semé, le dogme prend racine, et le respect de l'autorité exerce son influence sur tout le monde. Pourtant le sort en est jeté et ma foi repose en mon culte de la vérité et en la franchise des esprits cultivés.»

comme une pompe, avec un temps actif, la systole, qui chasse le sang dans les deux circuits séparés – celui de l'artère pulmonaire vers le poumon et celui de l'aorte vers tous les autres organes – et un temps passif, la diastole, où cœur et artères se dilatent.

Le sang coule du cœur vers les organes par les artères, les veines le ramènent des organes vers le cœur

Harvey vérifie ses raisonnements en pratiquant des ligatures ou des sections artérielles sur les biches du parc de Windsor. L'idée du retour du sang par le circuit veineux lui vient lorsqu'il apprend, à l'université de Padoue, de son maître Fabrice d'Aquapendente, l'existence de valves sur la face interne des veines. La dilatation des veines, après la pose d'un garrot chez l'homme, lui confirme cette intuition.

Si le cœur chasse plus de sang qu'il n'en est contenu dans les vaisseaux, c'est qu'il existe bien un cycle circulatoire permanent. Harvey arrive à cette déduction grâce à ses expériences sur les animaux. En précurseur, il note aussi les variations de comportement du cœur et en pressent les causes : «La circulation est rapide ou lente. Elle varie avec le tempérament, l'âge, les influences externes ou internes, les causes naturelles ou non, le sommeil, le repos, l'exercice, la nourriture, les agitations de l'âme et d'autres conditions de l'âme.»

Manque à cette démonstration physiologique la preuve des communications entre les artères et les veines. Harvey la déduit de ses calculs sur les débits sanguins dans le foie, le rein et les capillaires pulmonaires. «Il doit y avoir des porosités tissulaires permettant le passage du sang entre les artères et les veines», écrit-il en 1628. Il faudra attendre l'utilisation du microscope pour que Malpighi, en 1661, prouve l'existence des capillaires dans les poumons.

Le débat sur la réalité des mouvements du sang est passionné

A Londres, Primerose, à Paris, Guy Patin et Jean Riolan fils, doyen de la faculté de médecine, écrivent des pamphlets contre Harvey, «ce disséqueur de grenouilles et de serpents». Descartes défend la théorie de la circulation sanguine et Boileau comme Molière prennent le parti des «circulateurs».

Louis XIV, conquis par les nouvelles idées et agacé par les revendications corporatives des médecins, demande en 1673, malgré les remontrances du Parlement, la création, au Jardin du Roi, d'une chaire d'anatomie «selon la circulation du sang».

Cette mise en ordre, à partir des données de l'hydraulique, trouve des échos dans l'architecture, le droit et les beaux-arts

La querelle des Anciens et des Modernes dépasse le cadre des facultés de médecine. A Versailles, les architectes de Louis XIV s'inspirent du circuit du sang pour établir la circulation de l'eau dans les bassins et assurer le jeu des fêtes aquatiques grâce à la machinerie de Marly qui pompe l'eau de la Seine et l'achemine par un aqueduc jusqu'au château.

A l'Académie royale de peinture, le débat est repris par les dessinateurs et les coloristes. Pour Le Brun, directeur de cette académie, c'est le dessin qui traduit le mieux le mouvement et la physionomie. A cette théorie s'opposent les défenseurs de la couleur qui, seule, «glorifie la chair et le sang».

Harvey préfère laisser ses détracteurs «aboyer». A Jean Riolan (ci-dessus), le seul qu'il respecte, il répondra... vingt ans plus tard. Louis XIV (à droite, en visite au Jardin du Roi) prend très vite le parti de la circulation.

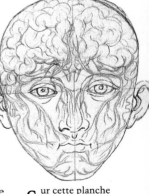

Sur cette planche anatomique, Le Brun représente, par la vigueur du trait, les vaisseaux qui irriguent le visage.

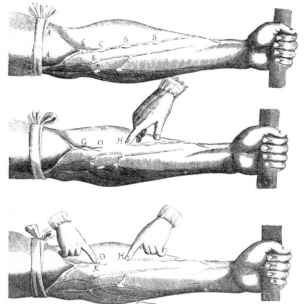

Harvey déduit que le sang va des artères aux veines en observant, lors d'une ligature, la présence d'un gonflement au-dessous des veines et son absence au-dessous des artères (ci-contre).
Aujourd'hui, avec l'imagerie médicale, on observe directement tous les vaisseaux du corps (page de droite, en bas).

Le cœur assure continuellement une double circulation (dessin de la page de droite, en haut).
Le ventricule gauche (1) propulse le sang riche en oxygène dans l'aorte et les autres artères (2), qui le distribuent à tous les organes au niveau des capillaires (3). Le sang abandonne son oxygène et se charge de dioxyde de carbone et de déchets. Les veines (4) ramènent le sang à l'oreillette, puis au ventricule droit (5 et 6). Des valvules (7), placées régulièrement, empêchent le sang de redescendre. Le ventricule droit (6) propulse le sang veineux dans l'artère pulmonaire (8), qui le mène aux poumons (9) où il se charge en oxygène. Les veines pulmonaires (10) ramènent le sang «rouge» à l'oreillette gauche (11) puis au ventricule gauche (1).
Et le circuit recommence.

Dans le corps, le sang circule indéfiniment en un circuit fermé entretenu par les mouvements du cœur

Le raisonnement de Harvey sur la double circulation est toujours valable. La petite circulation part du ventricule droit vers les artères pulmonaires puis les capillaires pulmonaires (où le sang est purifié et se charge d'oxygène) et revient dans l'oreillette gauche par les veines pulmonaires. La grande circulation part du ventricule gauche, descend par l'aorte et les capillaires de tous les organes (où le sang cède son oxygène) pour remonter par le système veineux jusqu'à l'oreillette droite qui renvoie le sang dans le ventricule droit et la petite circulation.

Les cinq litres de la masse sanguine effectuent ainsi une révolution complète en l'espace d'une minute et, à travers les artères, les veines et les capillaires, vont dans tout le corps, irriguant le cerveau, le cœur, les poumons, communiquant avec toutes les cellules de l'organisme.

Aujourd'hui, la circulation du sang peut être aisément étudiée

Le circuit du sang était le fruit d'un pur raisonnement chez Harvey. La circulation se visualise maintenant, sans aucun danger, pour tous les organes et l'on peut surveiller le fonctionnement de la pompe cardiaque comme l'état des vaisseaux sanguins. En effet, leur altération empêche le sang de circuler et de remplir ses fonctions, en particulier l'oxygénation des cellules. Les maladies vasculaires restent encore dans le monde occidental le facteur essentiel de mortalité.

L'œil est le lieu d'observation privilégié des fines artères et des capillaires

En 1851, le physicien allemand Hermann von Helmholtz construit le premier ophtalmoscope. Avec cet appareil, qui n'a cessé de se perfectionner, on observe, de l'extérieur et sans traumatisme, les vaisseaux à la surface de la rétine.

L'examen du fond d'œil met en évidence des signes de durcissement (sclérose) des artères, souvent liés à une hypertension artérielle : on constate alors une accentuation du reflet des artères, décolorées, pouvant prendre un aspect cuivreux, tortueux, rétréci, rigide, comprimant les veines qu'elles croisent, les dilatant et provoquant hémorragies ou inflammations.

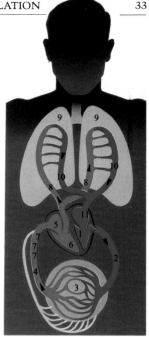

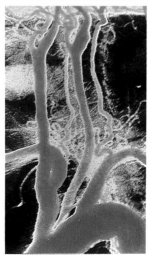

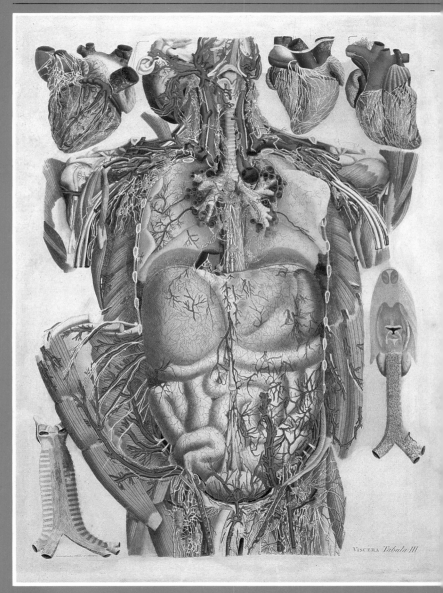

VISCERA *Tabula III*

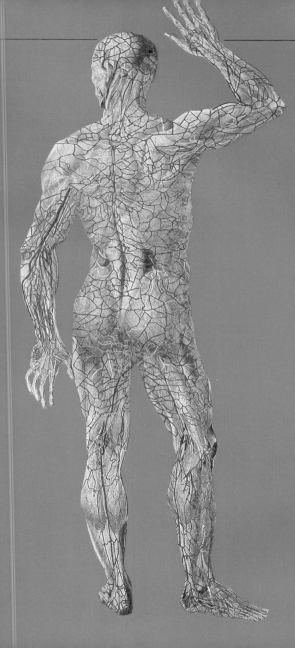

L'anatomie de la vascularisation

L es planches anatomiques de Paolo Mascagni montrent parfaitement l'«imbibition» de tout le corps par le flux sanguin et l'importance de son réseau (à gauche, la circulation de l'abdomen, ci-contre, la circulation superficielle). Mascagni, professeur à l'Ecole de Sienne, médecin et physiologiste, laisse à sa mort, en 1815, une synthèse des connaissances vasculaires de son temps. L'essentiel de ces planches n'est pas publié de son vivant, mais plus tard par Francesco Antonmarchi, médecin de Napoléon à Sainte-Hélène. Les couleurs, ajoutées à la main sur certaines lithographies, sont des couleurs conventionnelles : rouge écarlate pour les artères, bleu pour les veines, blanc pour les nerfs et les lymphatiques. Elles ne suivent pas parfaitement les sinuosités du dessin, débordent quelques parois artérielles, ne remplissent pas toute la lumière des veines. Mais par leur rayonnement, la réverbération du bleu et du rouge, les vaisseaux pénètrent les tissus, les imprègnent et s'y diffusent.

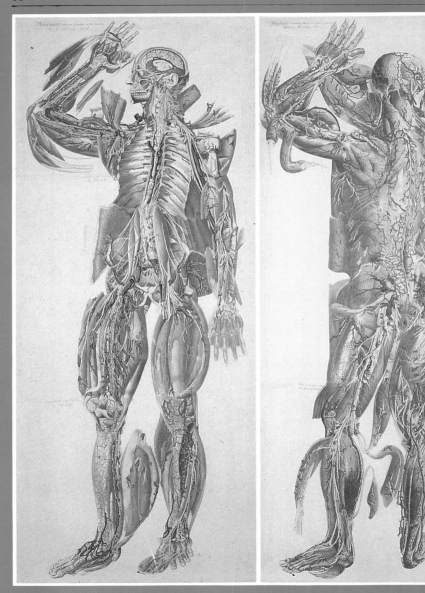

Les circuits du sang

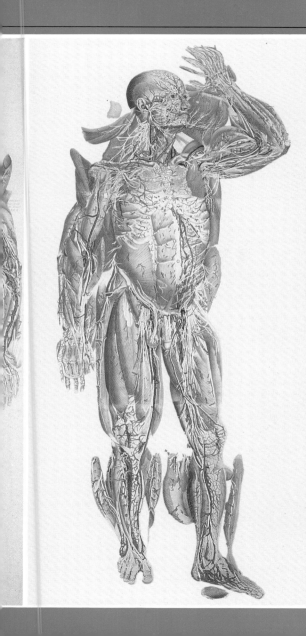

L'appareil circulatoire se présente comme une vaste trame de cent kilomètres, avec ses ramifications et ses infinies divisions. D'artères en artérioles, de capillaires en veinules et en veines, chaque centimètre de tissu, chaque organe du corps est irrigué par le flux sanguin (ci-contre, trois écorchés de Mascagni montrant, de gauche à droite, la vascularisation profonde puis celle des muscles; pages 38 et 39, deux planches représentent la circulation du système nerveux, de la moelle épinière et du cerveau). L'élasticité des artères, qui reçoivent l'ondée sanguine venue du cœur, leur permet de propulser le sang dans tout le réseau artériel. La vitesse du sang dans les artères décroit avec leur diamètre. Dans les veines élastiques, elle est 2 à 3 fois plus lente. Le cœur y agit comme une pompe aspirante tandis que les contractions musculaires compriment les veines et propulsent le sang vers le cœur.

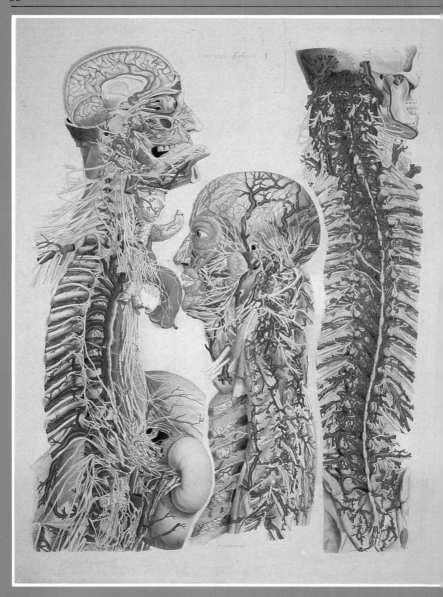

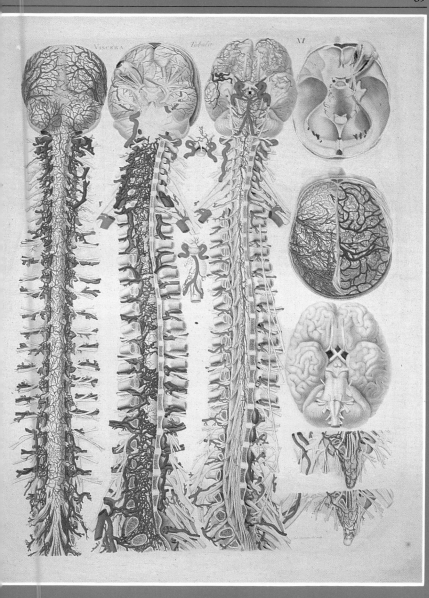

Toujours utilisée, cette observation du fond d'œil s'est enrichie d'autres méthodes, comme l'angiographie. Après injection de fluorescéine dans la veine du bras, artères et veines de l'œil deviennent fluorescentes, et les différents temps de la circulation artérielle, capillaire et veineuse peuvent être analysés. Cette technique est surtout pratiquée en cas de lésion de la rétine.

L'analyse des débits et des pressions de tous les vaisseaux, la visualisation des anomalies vasculaires ne sont plus traumatisantes

A partir d'une veine ou d'une artère périphérique, il est possible d'introduire des sondes (cathéters) de plus en plus minces et souples, puis de les faire remonter dans les vaisseaux de n'importe quel organe. De cette manière, débit de la grande circulation et débit pulmonaire sont maintenant mesurables.

L'injection dans les cathéters d'un produit opaque aux rayons X permet de repérer les anomalies vasculaires de tous les organes : rétrécissement (ou sténose), dilatation (ou anévrisme), rupture à l'origine d'hémorragies.

Lorsqu'un vaisseau est lésé, un caillot se constitue pour colmater la brèche

Pour arrêter l'hémorragie qui peut conduire à la mort, un mécanisme complexe se met en route. En cas de rupture d'un vaisseau, les plaquettes, qui circulent dans le sang, adhèrent d'abord à la paroi du vaisseau, puis s'agrègent entre elles. Elles perdent leur membrane pour former un premier caillot blanc, lâche.

Le fibrinogène soluble contenu dans le plasma est ensuite transformé en fibrine insoluble grâce à la thrombine, protéine libérée par les plaquettes en action. La fibrine vient enserrer les globules rouges dans ses mailles, édifiant un second caillot rouge, plus solide, appelé aussi «clou hémostatique». C'est la coagulation plasmatique.

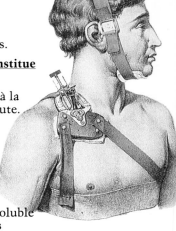

Les variations de la pression du sang dans les artères révèlent des troubles de la circulation (ci-dessous un appareil de mesure du XIXᵉ, et le sygmographe de Marey). L'examen du fond d'œil (en haut) décèle une hypertension.

E n cas de lésion
vasculaire
(ci-contre),
les nombreux acteurs
de la coagulation
entrent en jeu
successivement. Les
plaquettes adhèrent à
la paroi du vaisseau et
s'agrègent entre elles
(ci-dessous). Puis le
réseau de fibrine
enserre le premier
caillot et les globules
rouges, arrêtant
définitivement
l'hémorragie
(ci-dessous, à gauche).
Ensuite, le caillot doit
être éliminé. Une
enzyme dissout la
fibrine, tandis que les
globules blancs
macrophages ingèrent
les globules rouges
morts pendant la
coagulation.

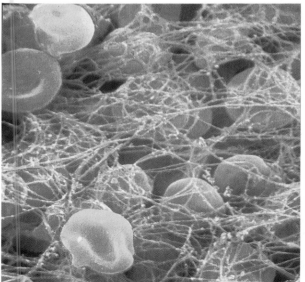

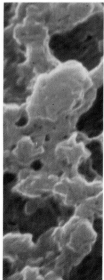

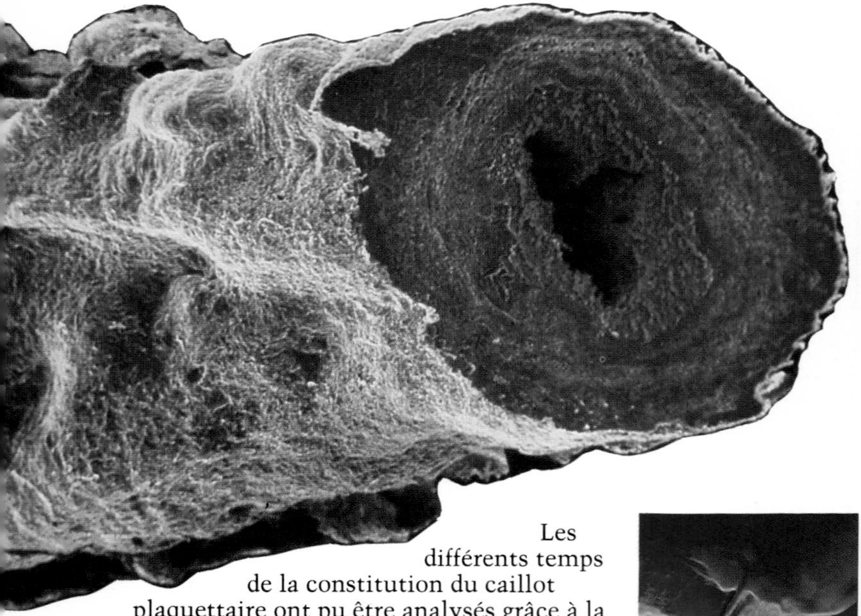

Les différents temps de la constitution du caillot plaquettaire ont pu être analysés grâce à la découverte de très rares maladies congénitales avec anomalie des fonctions plaquettaires : absence d'adhésion à la paroi (dystrophie thrombocytaire de J. Bernard et J.-P. Soulier, maladie de Willebrand) ou impossibilité pour les plaquettes de s'agréger entre elles (maladie de Glanzmann).

L'hémophilie, elle, est liée à l'absence congénitale de facteurs de coagulation plasmatique. Cette maladie est transmise par les femmes mais ne se manifeste que chez leurs enfants de sexe masculin. Les conséquences de ces absences de facteurs peuvent être compensées par des traitements substitutifs, qui permettent à ces patients de mener une vie pratiquement normale.

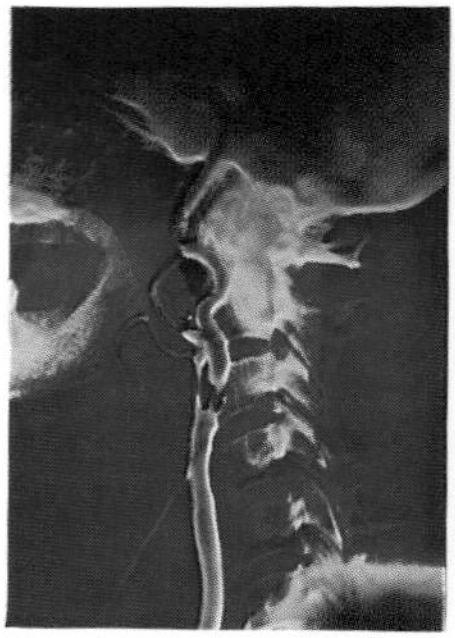

S ur l'artériographie ci-dessus, on distingue nettement l'endroit où le caillot bloque la circulation du sang, privant ainsi les cellules d'oxygène.

Le rôle des plaquettes dans l'hémostase est aujourd'hui étudié à l'échelle de la molécule

On explique maintenant les fonctions complexes des plaquettes en terme de réactions chimiques et d'échanges moléculaires. A l'état normal,

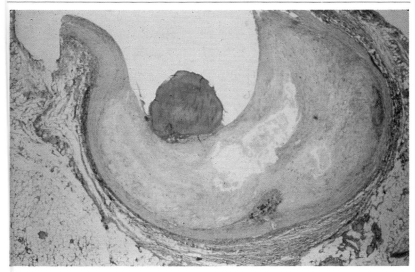

la membrane des plaquettes sécrète des protéines inhibant leur action. En cas d'altération du vaisseau, ce message chimique n'est plus émis et les thrombocytes (ou plaquettes) entrent alors en jeu pour adhérer à la paroi. Un autre message est nécessaire pour déclencher l'agrégation des plaquettes entre elles. La modification ou l'absence d'un seul composant de ces échanges moléculaires empêche la coagulation.

Les vaisseaux peuvent aussi s'obstruer

L'augmentation du nombre des plaquettes est à l'origine d'obstructions vasculaires. Dans ces obstructions, deux mécanismes peuvent être mis en cause : l'embolie ou la thrombose par formation d'un caillot à l'intérieur d'un vaisseau, l'artériosclérose par épaississement de la membrane du vaisseau. Les plaquettes et les facteurs de coagulation jouent un rôle essentiel dans le mécanisme d'embolie ou thrombose.

Dans l'artériosclérose, les dépôts de graisses et l'hypertension artérielle sont les principaux responsables des rétrécissements des vaisseaux.

V aisseaux rétrécis par le durcissement et le vieillissement (à gauche) ou obstrués par la formation d'un caillot (ci-dessus) aboutissent également à gêner, puis à empêcher, la circulation du sang, allant parfois jusqu'à provoquer la mort. Selon la localisation dans le système vasculaire, cette obstruction provoque infarctus, hémiplégie, embolie pulmonaire ou phlébite. L'infarctus, qui tue 600 000 personnes chaque année en France, est la conséquence d'une obstruction totale des artères coronaires.

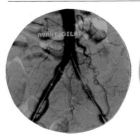

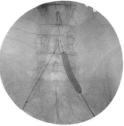

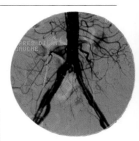

Mais à côté des facteurs vasculaires et lipidiques, la participation des plaquettes a été récemment reconnue.

La répartition géographique des maladies cardio-vasculaires se superpose à celle des pays riches, mettant en évidence le lien entre ces maladies et le niveau de vie.

Médecine et chirurgie s'allient pour rétablir la circulation du sang

Pour réamorcer la pompe cardiaque, le chirurgien peut stimuler le cœur défaillant, l'assister et même parfois, dans les cas extrêmes, le changer.

Pour permettre au sang de circuler et d'oxygéner le cœur, le cerveau ou les autres organes, on peut, par un pontage, dériver le flux sanguin, tandis que l'introduction de sondes à ballonnets au sein du vaisseau étranglé lui redonne un calibre normal.

Certains médicaments soignent l'hypertension artérielle, d'autres dissolvent le caillot ou fluidifient le sang. Très souvent, un dépistage précoce et une meilleure hygiène de vie permettent d'éviter les plus importants des accidents de la circulation sanguine. La lutte contre le tabac et la surveillance des modifications limpidiques et endocriniennes sont de plus en plus importantes.

Dans la création plastique contemporaine, le cours du sang n'a rien perdu de sa valeur symbolique

Par le sable et le sang jetés sur les toiles dès 1925, sur les dessins des abattoirs de La Villette de 1930,

Grâce à l'introduction de cathéters au sein même du vaisseau endommagé, le radiologue devient chirurgien. La sonde à ballonnet, introduite d'abord dans l'artère fémorale, remonte jusqu'à l'artère coronaire rétrécie (1). Le ballonnet est gonflé (2); il écrase la plaque graisseuse et rétablit le débit sanguin (3). On peut ainsi traiter, avec une simple anesthésie, des lésions ou des malformations des vaisseaux du cerveau, de la moelle épinière ou du rein, inaccessibles à l'acte chirurgical. Réalisée dans les années soixante sur les malformations cérébrales, l'angiographie thérapeuthique s'est développée dans deux directions : l'embolisation – ou obstruction – d'une artère, d'une veine dilatée ou qui saigne; l'angioplastie, qui remodèle un vaisseau rétréci ou sténosé.

André Masson veut toujours traduire la même violence. Dans *Jet de sang*, corrida imaginaire peinte en 1936, il l'exprime par une sècheresse voulue, presque minutieuse, «conforme au rite», dans un ample mouvement de spirale où les acteurs sont traités comme des ornements.

Cette violence trouve des échos dans toute la peinture américaine après la guerre : à Cuba, avec Lam et *la Jungle*, à New York avec Matta, Gorki et Pollock. Mêmes thèmes en Europe : Appel et son *Océan ensanglanté*, Messagier et sa toile pour le Centre de transfusion de Besançon, Rebeyrolle et son hommage au sang du Che, l'art corporel, la jeune peinture allemande. Les peintres d'aujourd'hui ne cessent de faire saigner leurs pinceaux.

M asson (ci-dessus *Jet de sang*), comme Picasso, a célébré dans sa peinture la corrida, véritable institution culturelle espagnole, qui ritualise à l'extrême la sanglante mise à mort du taureau. Les combats et sacrifices de taureaux ont été pratiqués en Crète dès l'époque minoenne.

Le sang, tissu liquide, véhicule des éléments indispensables à la vie. Dans le plasma, baignent des cellules ; les globules rouges oxygènent l'organisme, les globules blancs en assurent la défense et les plaquettes jouent un rôle essentiel dans la coagulation. Le sang est le miroir où se reflète le bon ou le mauvais fonctionnement de tous les organes.

CHAPITRE III
LA VUE DU SANG

Liée au crime, à l'accident, la vue du sang effraie souvent... Aux scientifiques qui n'ont cessé de l'observer avec des microscopes de plus en plus puissants, allant de plus en plus loin dans la reconnaissance de sa complexité, le sang révèle ses facettes cellulaires, moléculaires et génétiques.

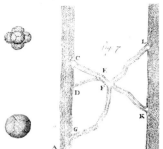

« J'ai essayé plusieurs fois de découvrir de quelles parties est composée la masse du sang, et j'ai enfin observé, après avoir tiré un peu de sang de ma propre main, qu'il était composé de petits globules rouges nageant dans un fluide cristallin semblable à de l'eau. »
A. Van Leeuwenhoek

C'est un amateur passionné, Antoni Van Leeuwenhoek, qui décrit, le premier, le globule rouge

A travers l'histoire de la découverte du globule rouge apparaît toute la complexité d'une «découverte scientifique».

Van Leeuwenhoek, drapier à Delft, acquiert dans l'analyse des fibres textiles un grand talent d'observateur et une extraordinaire habileté manuelle lui permettant de construire lui-même ses microscopes. Intéressé par les choses de la nature, très introduit dans le milieu de la Royal Society de Londres, il adresse au secrétaire de cette société plus de trois cents lettres, qui seront traduites en anglais et en latin. De 1673 à 1675, plusieurs d'entre elles mettent l'accent sur l'existence de globules rouges dans le sang des poissons ou des oiseaux. Un premier dessin de leur groupement dans les veines est réalisé le 7 juillet 1700.

Van Leeuwenhoek n'était pas seul. Deux autres savants partagent cette découverte : Malpighi et Swammerdam

Dès sa première description de la circulation capillaire dans le poumon effectuée en 1661 et publiée en 1667, Malpighi observe, à côté du «sérum», des «particules rouges» qu'il désigne sous le terme de «portion solide» du sang.

En 1674, Swammerdam observe au microscope des globules rouges dans les capillaires de l'intestin.

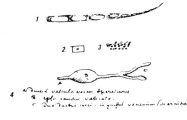

En 1678, il sera le premier à les dessiner dans une lettre conservée à la bibliothèque de l'université de Göttingen.

Du globule à la cellule

Pour ces trois savants, le globule rouge, ou hématie, n'est qu'une particule, un corpuscule, une curiosité, dont ils ignorent le rôle. Il faudra attendre près de deux siècles pour que le globule rouge accède au rang de cellule, peut-être la mieux connue, aujourd'hui, des cellules humaines.

    Deux révolutions seront nécessaires pour lui donner ce titre : la première, technique, due à l'amélioration du microscope, et surtout la seconde, conceptuelle, avec la formulation de la théorie cellulaire qui bouleverse toute la conception du vivant.

Le microscope ne sera utilisé dans les laboratoires de biologie qu'au milieu du XIXe siècle

Les premiers microscopes «simples», fruits du génie des artisans plus que des progrès de l'optique, sont constitués d'un oculaire, d'un objectif, d'une platine d'observation et d'un miroir pour régler la lumière.

V an Leeuwenhoek (page de gauche) ne connaît ni la médecine ni le latin, mais taille lui-même des lentilles microscopiques (page de gauche, en bas) avec lesquelles il observe toutes sortes de substances, telles que l'eau, la salive, le sperme et le sang. Il dessinera les globules rouges repérés dans son propre sang (à gauche, en haut). Malpighi (ci-dessus) remarque aussi des «globules gras» du sang, que Swammerdam, en Hollande, dessine dès 1678 (ci-dessus).
Les microscopes se développent surtout à partir du XIXe siècle. Ci-contre un modèle datant de 1750 environ.

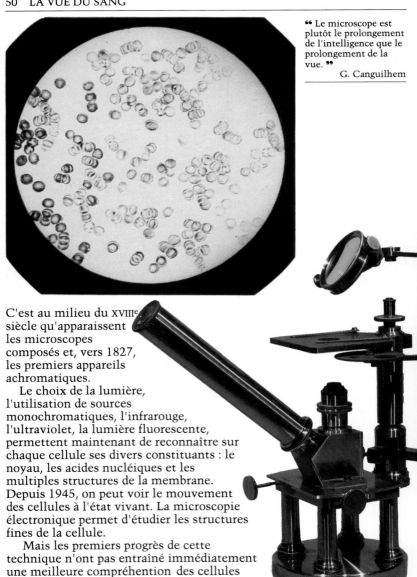

C'est au milieu du XVIIIe siècle qu'apparaissent les microscopes composés et, vers 1827, les premiers appareils achromatiques.

Le choix de la lumière, l'utilisation de sources monochromatiques, l'infrarouge, l'ultraviolet, la lumière fluorescente, permettent maintenant de reconnaître sur chaque cellule ses divers constituants : le noyau, les acides nucléiques et les multiples structures de la membrane. Depuis 1945, on peut voir le mouvement des cellules à l'état vivant. La microscopie électronique permet d'étudier les structures fines de la cellule.

Mais les premiers progrès de cette technique n'ont pas entraîné immédiatement une meilleure compréhention des cellules sanguines. C'est l'école allemande qui va

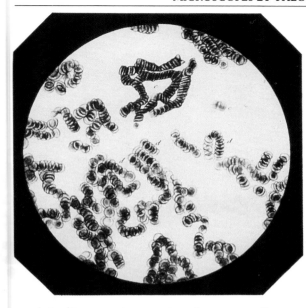

C es premiers daguerréotypes du sang observé au microscope (à droite et à gauche) ont été publiés dès 1845. Pourtant, la plupart des scientifiques continuent d'illustrer leurs travaux par le dessin. Et les clichés microscopiques ne se répandent qu'à partir de 1946. Aujourd'hui encore, l'image biologique se transforme. Clichés de microscopie optique ou électronique, mouvements du microcinéma, taches d'électrophorèse, courbes de la radioactivité ou diagrammes de spectroscopie : chacun de ces procédés cherche à traduire le fonctionnement ou la maladie cellulaires. Mais comme pour le premier schéma du globule rouge tracé par Swammerdam, c'est finalement la reconstruction artificielle d'un modèle ou d'un diagramme qui tente de rendre compte de la complexité des cellules sanguines.

conduire l'image microscopique à une nouvelle étape de la connaissance du globule rouge grâce à la théorie cellulaire.

La théorie cellulaire, énoncée dès 1858, fut longtemps refusée en France

La notion (ou plutôt le mot) de cellule est née de l'observation des plantes. En 1667, Robert Hooke observe au microscope un morceau de liège et compare sa structure cloisonnée aux cellules d'un rayon de miel.

Au XVIIIe, ce sont des zoologistes, comme Van Hallen ou Buffon, qui supposent l'existence de cette unité de la structure vivante. Au XIXe siècle, des botanistes, comme Brisseau-Mirbel et Dutrochet, confirment la structure cellulaire des êtres vivants. Schleiden écrit : «Tous les végétaux sont constitués de cellules.» Schwann aboutit à la même observation pour le monde animal.

Mais c'est le Prussien Virchow, en 1858, qui voit dans la cellule, non seulement l'unité, mais

l'origine de la matière vivante. Il affirme :
«*omnis cellula e cellula*». Toute cellule vient
d'une autre cellule ; la cellule est l'unité du
vivant.

Physiologistes et philosophes
français n'admettent que difficilement
cette idée. Pour Auguste Comte, la
théorie cellulaire est une déviation
manifeste. Bergson écrit, en 1937,
dans *l'Évolution créatrice* : «Ce ne
sont pas les cellules qui ont fait
l'individu par voie d'association.
C'est plutôt l'individu qui a fait les
cellules par voie de dissociation.»

Comme les autres cellules du sang, les globules rouges naissent dans la moelle osseuse

Nés des cellules souches de la moelle
osseuse, les globules rouges se
développent en plusieurs étapes par
différenciation, puis maturation, se
chargeant progressivement en
hémoglobine. Au dernier stade de
maturation, chaque cellule perd son
noyau et devient un réticulocyte (globule
rouge nouveau-né) qui seul passe dans le
sang. Celui-ci perd en quarante-huit heures
ses mouvements sa capacité de
synthétiser l'hémoglobine et devient un
globule rouge, petit disque de forme
biconcave.

Après cent vingt jours d'activité dans le système vasculaire, le globule rouge meurt sur le lieu de sa naissance

Circulant dans les vaisseaux, le globule
rouge capte l'oxygène au niveau du
poumon et le libère au contact des tissus.
Au bout de cent vingt jours, les globules
rouges âgés sont détruits par des cellules de
la moelle (et plus rarement de la rate et du
foie).

L'hémoglobine qu'ils contiennent est

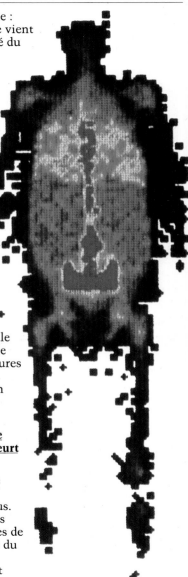

dégradée alors que le fer est entièrement recyclé dans la moelle pour la maturation de nouveaux globules rouges.

La destruction prématurée et pathologique des globules rouges, ou hémolyse, peut être liée à une anomalie de l'hémoglobine, d'une enzyme ou de la membrane.

L a scintigraphie (à gauche) montre, grâce à un marquage radioactif, les sites de production des cellules sanguines dans la moelle osseuse.

Le globule rouge, cellule déformable, s'introduit dans des capillaires deux fois plus fins que lui

La membrane du globule rouge, constituée de deux couches asymétriques (l'une externe, l'autre interne), lui confère sa plasticité et son élasticité. Il peut ainsi se déformer pour rentrer dans les plus petits des capillaires. Lorsque la membrane est anormale, le globule rouge ne peut plus se déformer ni circuler.

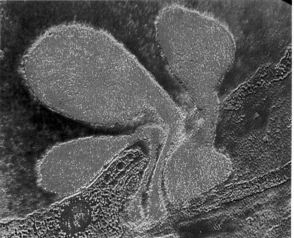

V an Leeuwenhoek ne se contente pas de décrire les globules rouges dès 1675, mais il observe aussi leur déformation, pressentant que cette élasticité est essentielle à leur fonction. «J'imagine que ces globules doivent être très flexibles et mollets dans un corps bien sain, puisqu'il faut qu'ils passent par des artères et des veines si petites et si déliées, et qu'ils prennent dans ces endroits une figure ovalaire pour mieux passer.»

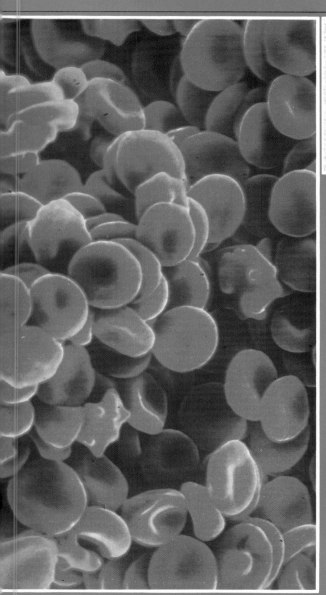

Nouvelle cartographie cellulaire

G râce à la microscopie électronique qui permet des grossissements de l'ordre du million, une nouvelle cartographie de la cellule est née (à gauche, des hématies dans l'épithélium bronchique; ci-contre, des globules rouges dans un vaisseau). Elle a permis la réinterprétation des frottis sanguins observés jusqu'ici au microscope optique (ci-dessus). Avec le marquage radioactif, on retrace aussi la dynamique des populations cellulaires de leur naissance à leur mort, précisant leur production, leur âge et les causes de leur mortalité. Comme l'a écrit Marcel Bessis, «L'image n'est pas la réalité; l'image est ambiguë; l'image ne véhicule pas d'idée, mais elle est irremplaçable.»

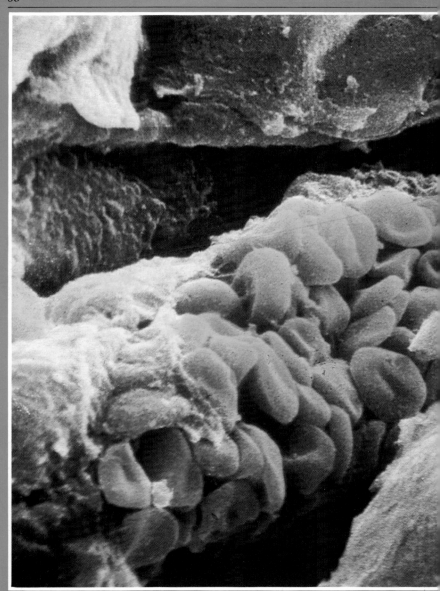

La marée des globules rouges

P ortés par un courant incessant, les globules rouges , qui flottent et dérivent comme des algues marines (ci-contre), sont nés, comme les autres cellules du sang, dans la moelle rouge des os. Grâce à sa réserve de cellules mères autorenouvelables, celle-ci fabrique, chaque jour, en temps normal, 150 à 200 milliards d'hématies, cent millards de plaquettes et plusieurs dizaines de milliards de leucocytes (polynucléaires). La marée érythrocytaire (on compte 5 millions de globules rouges par mm^3 de sang) décharge quotidiennement dans les poumons 4 200 l d'oxygène et 500 l de dioxyde de carbone.

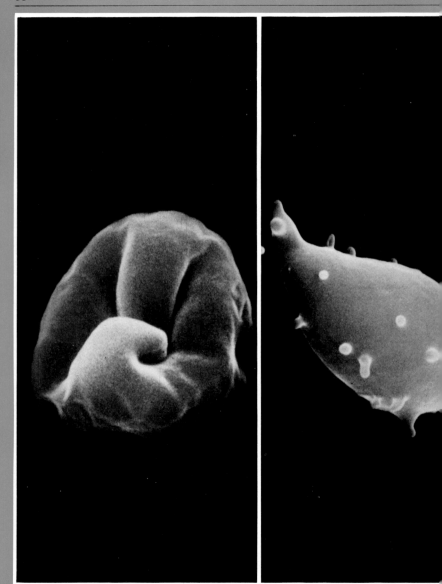

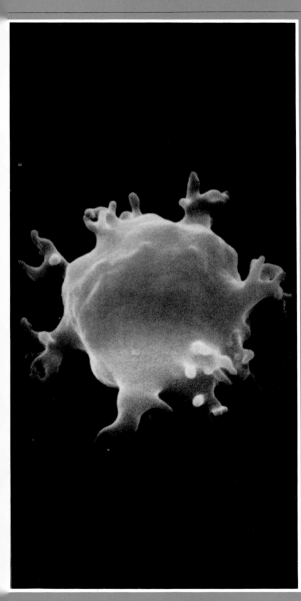

Les formes erythrocytaires

A l'état normal, les globules rouges peuvent revêtir des aspects différents et réversibles, selon le milieu où ils évoluent. Ils sont biconcaves (discocytes) ou sphériques et hérissés de piquants (échinocytes). Dans certains cas pathologiques, ils présentent des formes très particulières, tel l'aspect de faucille de la drépanocytose.

Trois méthodes permettent d'étudier ces formes : les études fonctionnelles de déformabilité, l'analyse biochimique et le microscope électronique à balayage.

Grâce à celui-ci, l'inventaire des formes érythrocytaires a pu être dressé.

Sur le cliché de gauche, on reconnaît à ses mouvements un réticulocyte (globule rouge nouveau-né) sortant de la moelle. Devenu globule rouge, il perdra la capacité de se mouvoir. Sur les deux autres clichés, des spicules hérissent la surface des globules rouges. Ils ont pour particularité de disparaître lorsqu'ils sont réinjectés au patient en présence du plasma.

L'hémoglobine, une molécule complexe spécialisée dans le transport des gaz

L'étude de la fonction de l'hémoglobine, pigment rouge de l'hématie, a joué dans la biochimie «un rôle analogue à celui de l'atome dans la physique au début du vingtième siècle». Cette volumineuse protéine renferme du fer qui permet de fixer l'oxygène.

Sa fonction est essentielle : elle assure le transport de l'oxygène des poumons aux tissus, et inversement, du gaz carbonique que les tissus rejettent jusqu'aux poumons. Elle est également chargée de l'absorption des ions d'hydrogène libérés par les tissus. Cette fonction est liée à sa structure moléculaire.

Les maladies congénitales de l'hémoglobine ont fait progresser les connaissances sur les gènes

La drépanocytose, ou anémie falciforme, est due à une anomalie de structure de l'hémoglobine, induite par une anomalie du gène. Transmise par les deux parents, elle peut conduire à une anémie mortelle. La forme anormale du globule rouge, à l'aspect de faucille, qui caractérise cette maladie,

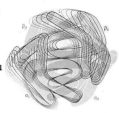

Chaque fois qu'elle capte ou libère de l'oxygène, l'hémoglobine change de structure moléculaire. Plus qu'un simple réservoir, c'est un poumon moléculaire.

Pâleur, fatigue, essoufflement, vertiges ou troubles digestifs font partie des symptômes de l'anémie. Ici, un prince Moghol au visage émacié, dans un état de très grande faiblesse (XVIIe siècle).

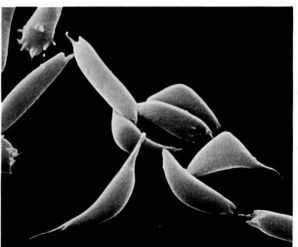

provoque aussi des complications vasculaires comme des thromboses ou des embolies.

Dans les thalassémies avec production insuffisante d'hémoglobine, la diminution ou l'absence d'une des chaînes d'hémoglobine est liée à une anomalie congénitale du gène, ou souvent d'un des éléments de la synthèse de l'hémoglobine.

Les globules blancs, une «armée de métier» contre les cellules étrangères

Les globules blancs sont «vus» pour la première fois dans le sang, en 1768, par l'écclésiastique italien Lazaro Spallanzani. En 1845, l'Anglais Thomas Wharton observe leur manière de se déplacer en émettant des prolongements ou pseudopodes. Mais c'est le Russe Elie Metchnikoff qui, le premier, décrit leur stratégie guerrière, la phagocytose. Plus grands que les globules rouges, mais

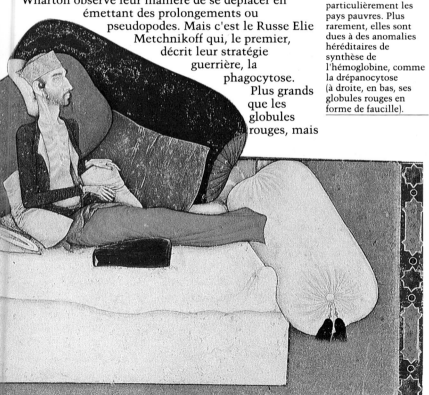

Les anémies se traduisent par une réduction de la quantité d'hémoglobine dans le sang, soit parce que le nombre des globules rouges est trop faible, soit parce que leur teneur en hémoglobine est insuffisante. Liées le plus souvent à la malnutrition qui provoque des carences en fer, en vitamines B12 et B9, les anémies touchent particulièrement les pays pauvres. Plus rarement, elles sont dues à des anomalies héréditaires de synthèse de l'hémoglobine, comme la drépanocytose (à droite, en bas, ses globules rouges en forme de faucille).

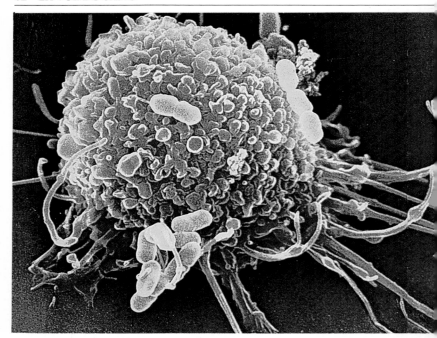

beaucoup moins nombreux (4 000 à 8 000 par mm³
de sang), les globules blancs ou leucocytes sont des
cellules mobiles avec noyau. Ils se caractérisent par
leur diversité : polynucléaires, macrophages,
lymphocytes.

Les polynucléaires, dont le noyau comporte
plusieurs lobes, naissent dans la moelle des os.
Après une série de divisions et de maturations, une
partie des polynucléaires adultes entre dans la
circulation où leur vie est très brève.

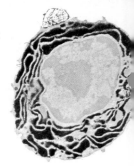

Les polynucléaires entourent les microbes puis les digèrent grâce à des enzymes : c'est la phagocytose

En état d'alerte, les polynucléaires peuvent se
déplacer en n'importe quel point de l'organisme. En
cas d'agression microbienne importante, et selon les
besoins, la moelle osseuse libère des «réservistes»
pour aider les polynucléaires déjà en circulation. En
cas d'infection, on peut en compter jusqu'à 40 000.

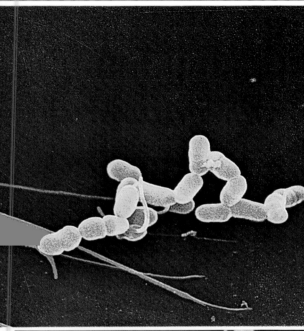

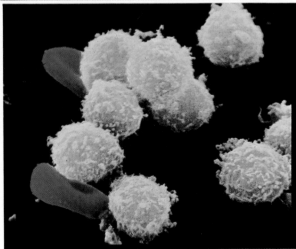

L es macrophages capturent, au moyen de leurs excroissances cytoplasmiques, les particules étrangères qui circulent dans le sang (ci-contre un macrophage enserrant des bactéries), avant de les phagocyter, les digérant grâce à leurs enzymes. Ces cellules, qui peuvent migrer dans les tissus, éliminent aussi de la circulation les déchets et les complexes antigènes/anticorps. Les lymphocytes (en bas, à droite) sécrètent des anticorps en réponse aux agressions (en bas, à gauche, un anticorps apparaît sur la membrane). La diminution, ou au contraire la prolifération, des globules blancs ne permet plus à l'organisme de lutter contre l'infection.

D'autres leucocytes, les macrophages, d'une durée de vie plus importante, phagocytent aussi les bactéries et jouent un rôle important dans l'élimination des déchets et des cellules mortes.

Impliqués dans l'immunité, les lymphocytes assurent des défenses sur mesure

Certains lymphocytes se transforment en «cellules tueuses». D'autres reconnaissent les éléments étrangers et fabriquent des anticorps sur mesure. Ils gardent en mémoire le souvenir des agressions microbiennes subies. C'est ainsi que l'organisme se vaccine contre de nombreux antigènes. La fonction des lymphocytes s'étudie maintenant à l'échelle moléculaire.

Les plaquettes furent longtemps prises pour «des poussières du sang»

Très petites (de 2 à 5 microns) et sans noyau, les plaquettes ont été longtemps difficiles à dénombrer. On en compte 200 000 à 300 000 dans un mm^3 de sang. Comme toutes les cellules du sang, elles naissent dans la moelle. Une technique de marquage radioactif permet de mesurer leur durée de vie (de huit à dix jours) et de distinguer deux motifs à leur diminution. Celle-ci peut être due à un défaut de production dans la moelle ou être liée à leur destruction excessive dans le système vasculaire par un anticorps, un médicament ou un agent infectieux.

Les plaquettes n'interviennent qu'en cas de besoin et jouent un rôle essentiel et complexe dans le rétablissement de la continuité d'un vaisseau sectionné : elles sont le maître d'œuvre du premier stade de la coagulation. Leur rôle complexe est de mieux en mieux connu.

Le plasma, miroir de la santé

Le plasma représente, à lui tout seul, 55 % du volume sanguin. Il est chargé de transporter vers les cellules les substances nutritives (sels minéraux, glucose, lipides) et d'éliminer les déchets (urée, dioxyde de carbone). Il se compose d'eau, de sels, de glucides, de lipides et de protéines. Chacun de ses

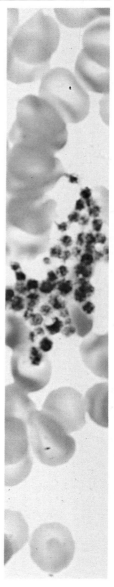

constituants doit rester à un taux constant. L'altération de cet équilibre a de multiples significations.

L'augmentation des uns traduit la lésion d'un organe : celle des transaminases par exemple reflète une lésion cardiaque ou hépatique. D'autres illustrent l'anomalie d'une fonction, comme l'élévation du taux de créatinine, indice d'une insuffisance rénale. D'autres enfin sont le reflet d'une modification du cycle du métabolisme, comme l'hyperglycémie, signe du diabète.

K andinsky fait étudier à ses élèves du Bauhaus les structures biologiques au même titre que les lignes, les plans et les volumes. Ci-dessous, *Bleu du ciel*, peint en 1940.

Cellules, molécules, gènes ont fait surgir de nouvelles mythologies

A la recherche d'un alphabet plastique, Kandinsky dessinait des cellules à ses élèves du Bauhaus. Etienne Hadju est sans doute le premier sculpteur de la biologie cellulaire. Réinterprétant dans ce sens le travail de Brancusi et de Arp, suivant des cours de biologie, il trouve, dès 1947, un nouvel alphabet : «Je voulais utiliser comme élément la cellule, la vie cellulaire.» A partir de la structure du fuseau dont le regroupement et l'épaisseur animent la plaque de cuivre, il développe un nouveau langage qui renvoie parfois très explicitement au monde biologique (comme dans *Hommage à Louis Pasteur*, 1967 et *Corpuscules*, 1968). L'acide désoxyribonucléique apparaît souvent dans la paranoïa de Dali qui déclare : «Mon tableau, *la Persistance de la mémoire*, peint en 1931, est une prévision de l'A.D.N. Impression synchronisée des protéines. Tout cela cliquette, s'ouvre, se ferme dans une folie d'exactitude.»

L es plaquettes (à gauche) proviennent de cellules mères de la moelle osseuse qui, après s'être démesurément agrandies, se fragmentent et libèrent dans la circulation sanguine des morceaux de leur cytoplasme, dépourvus de noyau.

Plus encore que sur les traits du visage ou les lignes des empreintes digitales, c'est dans le sang que s'écrit l'unicité de chaque être humain. Chacune de nos cellules porte la marque de notre individualité, grâce à un groupe de molécules appelées marqueurs. D'abord reconnus sur la membrane des globules rouges, ces marqueurs sont désormais identifiables au niveau du gène.

CHAPITRE IV

ÉCRIT DANS LE SANG

La quête des origines, le souci de la filiation : une préoccupation fondamentale de l'homme, dont témoignent les nombreux et très anciens arbres généalogiques. Avec l'étude des marqueurs sanguins, cette recherche atteint une précision jamais égalée. C'est sur le gène et les molécules d'A.D.N. que se lit maintenant la filiation biologique.

En 1900, Landsteiner met en évidence l'incompatibilité de certains sangs

A Vienne, l'Autrichien Karl Landsteiner observe que si l'on met en contact le sang de deux personnes différentes, une réaction d'agglutination des globules rouges peut apparaître. Ce phénomène d'agglutination des globules rouges par un sérum étranger indique que les deux sangs sont incompatibles. Il explique les nombreux échecs rencontrés auparavant lors des transfusions sanguines.

L'agglutination est le résultat d'une réaction immunitaire entre des antigènes portés par les globules rouges d'un sujets et des anticorps contenus dans le sérum de l'autre individu.

Deux antigènes sont reconnus à la surface des globules rouges : l'antigène A et l'antigène B. «Tout sujet possède dans son sérum les anticorps correspondant aux antigènes absents de ses globules rouges», conclut Karl Landsteiner.

Grâce à cette découverte, il a été possible de classer les sangs humains en quatre groupes constituant le système ABO

Les sujets du groupe A portent des antigènes A sur leurs hématies et leur sérum contient des anticorps anti-B. Dans le groupe B, il existe des antigènes B sur les globules rouges des sujets et des anticorps anti-A dans leur sérum. Dans le groupe AB, les deux antigènes A et B sont sur les hématies et il n'existe pas d'anticorps dans le sérum. Dans le groupe O, il n'y a pas

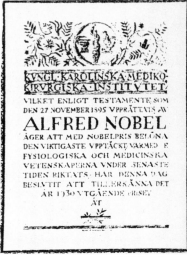

E n 1930, le prix Nobel de médecine couronne les travaux de Landsteiner.

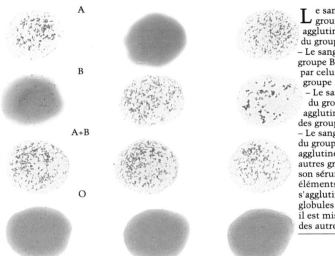

A

B

A+B

O

Anti-A   Anti-B   Anti-(A+B)

L e sang des sujets du groupe A est agglutiné par les sujets du groupe B.
– Le sang des sujets du groupe B est agglutiné par celui des sujets du groupe A.
– Le sang des sujets du groupe AB est agglutiné par le sérum des groupes A et O.
– Le sang des personnes du groupe O n'est agglutiné par aucun des autres groupes. Mais son sérum contient des éléments qui font s'agglutiner ses globules rouges quand il est mis au contact des autres groupes.

d'antigènes A et B à la surface des globules rouges, mais des anticorps anti-A et anti-B dans le sérum. De plus, il existe des sous-groupes plus rares dans le groupe A comme dans le groupe B.

A la suite de tests réalisés avec des sérums de référence, les sangs sont classés et reçoivent leur lettre de groupage : A, B, AB ou O. Chaque personne, appartenant à l'un de ces groupes, ne peut recevoir qu'un sang compatible, c'est-à-dire du même groupe que le sien. En France, 45 % de la population appartient au groupe A, 9 % au groupe B, 43 % au groupe O et 3 % au groupe AB. La transmission de ces caractères est héréditaire et suit les lois de Mendel.

Les antigènes A et B sont aussi présents sur la plupart des cellules et tissus de l'organisme

Ces antigènes ont une large distribution tissulaire : à côté des globules rouges, ils ont été retrouvés sur les globules blancs, les plaquettes, la paroi des vaisseaux sanguins, le rein, les tissus des appareils

L andsteiner découvre le système ABO en 1900, et le système Rhésus en 1940.

digestif, urinaire, respiratoire, génital et cutané. Le système de compatibilité des tissus s'élabore dès les premières semaines de la vie fœtale, alors que s'ébauche l'acquisition de la fonction spécifique de tous les organes. A partir de la douzième semaine, on retrouve la distribution tissulaire qui sera celle de l'adulte.

Antigènes «naturels» et antigènes «provoqués»

Dans le système ABO, les anticorps correspondant à l'antigène absent sont dits «naturels» car ils semblent exister en dehors de toute stimulation antigénique. A l'opposé, dans d'autres systèmes érythrocytaires, on ne décèle des anticorps que chez les sujets ayant été préalablement immunisés par un antigène, introduit en général pendant la grossesse, ou lors de l'accouchement ou de transfusions sanguines.

C'est l'allo-immunisation, découverte en 1940 par Lewine, à l'occasion d'un accident transfusionnel chez une femme enceinte recevant du sang de son mari, du même groupe que le sien. Il suppose qu'elle est Rhésus –, et son mari Rhésus +, et que le fœtus, du même groupe que le père, a sensibilisé la mère contre le facteur Rh porté par les globules rouges du père.

En injectant du sang de singe dans l'oreille d'un lapin, Landsteiner et Wiener découvrent le facteur Rhésus

Malgré le respect de la compatibilité ABO, d'inexplicables accidents surviennent encore au cours des transfusions sanguines.

En 1940, Landsteiner, émigré aux États-Unis, immunise des lapins contre des globules rouges du singe macaque Rhésus. Il obtient ainsi un sérum qui agglutine un grand nombre de globules rouges humains. Selon les réactions, il distingue deux groupes de sujets. Les Rhésus positifs (Rh+), dont le sang renferme un antigène comparable à celui du singe, concernent 85 % des individus de race blanche. Les 15 %, dont les globules rouges ne sont pas agglutinés, sont dits Rhésus négatifs (Rh-).

La découverte du facteur Rhésus est aussi fondamentale que celle des groupes ABO. Elle a permis d'expliquer, puis d'éviter certains accidents transfusionnels et la maladie hémolytique du nouveau-né. Cette maladie frappait certains enfants Rh+, deuxièmes ou troisièmes-nés d'une mère Rh- et d'un père Rh+, et pouvait conduire à la mort de l'enfant à la naissance.

Le système H.L.A., gardien de l'identité biologique

En 1952, le Français Jean Dausset met en évidence, sur la membrane des globules blancs, de nouveaux marqueurs. C'est le point de départ du système H.L.A. *(Human Leucocyte Antigen)*, qui fait la différence entre le «soi» et le «non-soi» et organise la défense contre ce qui lui est étranger. Les antigènes H.L.A. sont également présents sur la majorité des cellules de l'organisme. Le système H.L.A., qui comprend de nombreux sous-groupes, est d'une

L a détermination des groupages H.L.A. (ci-dessus) est nécessaire pour les transplantations d'organes, les transfusions de plaquettes et de leucocytes et les greffes de moelle osseuse.

C' est grâce au sang d'un singe de l'Inde, le macaque Rhésus (à gauche) que Landsteiner et Wiener ont découvert le système qui divise les populations en Rhésus positif et Rhésus négatif. En Europe, 85 % des individus sont Rh+, sauf les Basques qui appartiennent à 60 % au système Rh–. Alors que 99 % des Asiatiques et des Africains sont Rh+.

extrême complexité. Les antigènes H.L.A. n'appartiennent qu'à l'homme et sont responsables des phénomènes de rejet lors des greffes d'organes. Parallèlement, des nouveaux marqueurs ont aussi été décrits sur les plaquettes, dans le sérum, au niveau des immunoglobulines, des protéines et même sur certaines enzymes des cellules sanguines, venant enrichir le polymorphisme génétique qui caractérise l'espèce humaine.

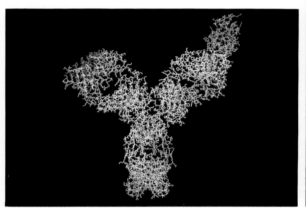

Chaque être est unique et constitue une individualité biologique chaque fois nouvelle et originale

Dans quelques millilitres de sang, plus de 30 systèmes de marqueurs sont représentés. Ils définissent la formule biologique de chaque personne avec un degré de précision extraordinaire et une multiplicité infinie de combinaisons découlant de leur transmission héréditaire selon les lois de Mendel. La probabilité de trouver un double biologiquement identique à l'être

Un registre national de donneurs volontaires de moelle a été créé par Jean Dausset (ci-contre). Il doit regrouper 40 000 personnes de moins de 40 ans et permettra, en France, la pratique de greffes de moelle dans le système H.L.A. identique non apparenté.

le plus «banal» (c'est-à-dire à qui l'on a attribué le groupe le plus courant dans chacun des systèmes de marqueurs) ne peut être supérieure à un sur un milliard, soit l'équivalent de la population chinoise. Pour une personne ayant été transfusée plusieurs fois et phénotypée dans plusieurs groupes, cette probabilité est de un sur cent millions de milliards, c'est-à-dire l'équivalent de plus d'individus que ceux qui ont vécu depuis la naissance de l'humanité.

Tous uniques, tous différents : cette réalité biologique n'est pas sans conséquences éthiques

La notion d'unicité de la personne humaine a profondément modifié les comportements. Elle balaie définitivement les vieux et redoutables mythes de race, de supériorité biologique : il n'existe pas de gène marqueur d'une race. Elle renforce, si tant est qu'il en soit besoin,

Des appareils de groupage automatique (ci-dessus) déterminent avec rapidité et sûreté les groupes sanguins de toute personne ayant subi un prélèvement. Grâce à des sérums-tests, les antigènes (à gauche, la structure tridimentionnelle d'un antigène et, fixé à l'une des extrémités, un anticorps) sont repérés dans le sang. En France, le Groupamatic analyse 360 échantillons de sang par heure et les enregistre sur ordinateur.

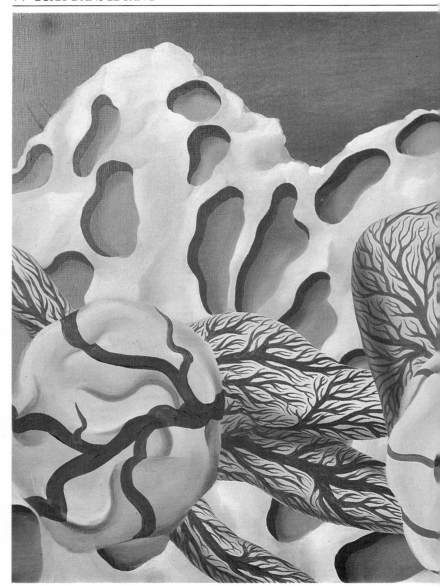

L e sang des hommes, puissant véhicule de la vie et machine à rêver, comme dans ce tableau de René Magritte intitulé *le Sang du monde,* est riche de la diversité des marqueurs génétiques qui le constituent. Ces marqueurs se retrouvent dans toutes les races humaines.

« Transmis de génération en génération selon les lois de l'hérédité, tous les pavés de la mosaïque sont présents dans toutes les populations, mais les inégalités, les diversités créent pour les diverses populations des mosaïques diverses. Populations et non races. Les races traditionnelles étaient définies par des caractères fixes et peu nombreux. Les populations sont définies par une extrème diversité de caractères multiples, à la fois mouvants et équilibrés. [...] La biologie moderne a confirmé les observations des moralistes et reconnu l'importance de la diversité. »

Jean Bernard

la notion des droits de l'homme, du droit de chaque homme à être traité comme tel, quels que soient les différences et les différends.

L'étude du sang éclaire l'histoire et définit de nouvelles familles et de nouvelles populations biologiques

Dans un tel système polymorphe, c'est la fréquence génétique qui définit une population. L'espèce humaine apparaît comme un ensemble de groupes ouverts aux échanges de gènes, le flux génétique entre populations ayant permis la conservation d'une unité biologique où le polymorphisme est la règle. On a pu dessiner une géographie hématologique qui prend en compte la double influence de l'héréditaire et de l'acquis.

Ainsi le gène O est plus fréquent chez les Indiens d'Amérique centrale, le gène A se rencontre le plus en Europe septentrionale, surtout dans les pays scandinaves. Chez les aborigènes d'Australie et les Indiens d'Amérique, on trouve peu de gène B. Celui-ci existe surtout en Asie centrale et dans le nord de l'Inde. La fréquence du sous-groupe Rhésus r et du Facteur 5 chez les Aïnu du Japon tendrait à démontrer que ces habitants de l'île d'Hokkaïdo sont de «vieux Asiatiques», et non des «Blancs», malgré leur apparence européenne.

L'hématologie confirme l'histoire. L'étude de la fréquence des caractères sanguins permet d'éclairer et même de retracer les grandes migrations. Ainsi, Jean Dausset, après avoir examiné le sang des habitants de la mystérieuse île de Pâques et l'avoir comparé à celui des populations indiennes, polynésiennes et mélanésiennes, a démontré l'origine asiatique des Amérindiens et l'importance des migrations ouest-est. Selon lui, il est possible qu'une partie des habitants de la côte occidentale d'Amérique du Sud soit d'origine polynésienne.

La «solitude génétique» a longtemps été un obstacle à la transplantation, à la transfusion et parfois à la reproduction

Grâce aux progrès des connaissances, on commence à savoir contourner ces trois obstacles.

L'incompatibilité fœto-maternelle peut aujourd'hui être évitée. La fréquence et la gravité de la maladie hémolytique du nouveau-né ont été considérablement réduites par le dépistage systématique et obligatoire, chez les femmes enceintes, des groupages ABO et Rh, complété par le dosage des agglutinines anti-Rhésus chez les femmes Rh-. Cette maladie a d'abord été soignée par le remplacement total du sang

C' est au nom de la biologie que certains ont jugé et condamné le capitaine Dreyfus, dont l'appartenance ethnique était supposée déterminer la trahison (ci-contre, une caricature antisémite de l'époque). C'est aussi la biologie et plus particulièrement l'hématologie qui vient détruire les conceptions racistes. En effet, toutes les races humaines montrent des sujets appartenant à tous les groupes sanguins. Il existe des A, des B ou des O aussi bien chez les Blancs que chez les Jaunes ou les Noirs. Seules varient les fréquences observées dans chaque population. Dans les rangs de l'armée (à gauche, une photo des troupes de Salonique pendant la Première Guerre mondiale) se côtoient des représentants de toutes les races. En cas de nécessité, le sang des uns est transfusé aux autres, non pas en fonction de la couleur de la peau, mais en fonction de la compatibilité de leurs groupes sanguins. C'est la parenté génétique.

du nouveau-né à la naissance. Aujourd'hui, à titre préventif, on injecte à la mère, immédiatement après l'accouchement, des immunoglobulines qui empêchent l'immunisation. Cette incompatibilité fœto-maternelle est surtout due au passage, lors du premier accouchement, d'hématies fœtales dans l'organisme maternel et à la formation d'anticorps maternels contre les enfants des grossesses ultérieures.

Les transplantations d'organes ont pu être réalisées grâce à la connaissance du système H.L.A.

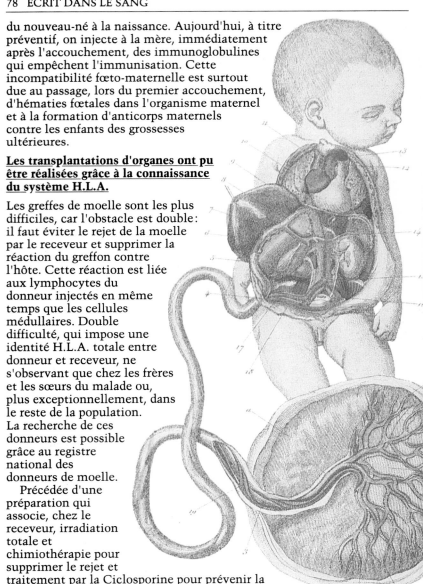

Les greffes de moelle sont les plus difficiles, car l'obstacle est double : il faut éviter le rejet de la moelle par le receveur et supprimer la réaction du greffon contre l'hôte. Cette réaction est liée aux lymphocytes du donneur injectés en même temps que les cellules médullaires. Double difficulté, qui impose une identité H.L.A. totale entre donneur et receveur, ne s'observant que chez les frères et les sœurs du malade ou, plus exceptionnellement, dans le reste de la population. La recherche de ces donneurs est possible grâce au registre national des donneurs de moelle.

Précédée d'une préparation qui associe, chez le receveur, irradiation totale et chimiothérapie pour supprimer le rejet et traitement par la Ciclosporine pour prévenir la

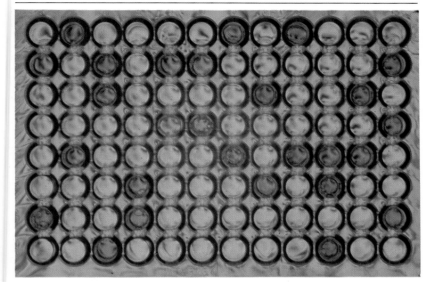

réaction du greffon contre l'hôte, l'allo-greffe de moelle a été réalisée 500 fois en France depuis 1968 dans les insuffisances médullaires et les leucémies aiguës en rémission. Ce traitement, certes très lourd, permet d'obtenir un pourcentage important de guérisons.

La greffe de moelle osseuse est un domaine en pleine expansion, mais les besoins restent extrêmement importants. A l'avenir, la biologie moléculaire permettra sans doute de modifier le gène anormal lui-même. La moelle du malade, après «correction» en laboratoire, lui sera alors réinjectée.

Lors de transfusion sanguine, les risques de conflit immunologique ont été éliminés

Les connaissances sur les groupes sanguins ont rendu possibles ces progrès. Avant toute transfusion, il est maintenant obligatoire de procéder au groupage sanguin et de vérifier la compatibilité du sang à injecter. Les compatibilités les plus fondamentales à observer sont celles des groupes ABO et du facteur Rhésus.

L'enfant Rhésus + porté par une mère Rhésus– ayant développé des anticorps antirhésus est souvent menacé : le sang de sa mère qui se mêle au sien par l'intermédiaire du placenta (à gauche), *via* le cordon ombilical, détruit implacablement ses globules rouges. L'étude de sang fœtal (ci-dessus) permet de déterminer la gravité de l'anémie et de décider de pratiquer une exanguino-transfusion *in utero*. Cette opération n'est effectuée que lorsque le dépistage préventif n'a pas été réalisé.

Remplacer le sang perdu ou le sang malade par un sang neuf : ce vieux rêve s'est heurté pendant des siècles à de constants échecs. La transfusion sanguine est une conquête du XXᵉ siècle. L'homme sait transfuser, sans danger, le sang des uns aux autres. Le sang est devenu une véritable matière première vivante, essentielle à la médecine comme à la chirurgie.

CHAPITRE V
LE DON DU SANG

Geste de fraternité et devoir civique, le don du sang sauve des milliers de vies chaque année. Sur les champs de bataille comme sur le lieu des accidents et des catastrophes, la transfusion permet réanimation et soins d'urgence.

Ovide, dans *les Métamorphoses*, rapporte que, pour rajeunir Pelléas, Médée, la magicienne, extrait le sang du corps usé du vieillard et le remplace par du sang d'agneau. Jean Denys, médecin du XVIIe siècle, essaiera à plusieurs reprises de transfuser du sang animal à des malades. Mais sang humain et sang animal sont incompatibles et ces transfusions échouent.

Avec la découverte des groupes sanguins, la transfusion cesse d'être une aventure hasardeuse

Les transfusions à l'homme de sang animal se soldent toujours par des échecs et finissent par être interdites en 1678. Ce n'est qu'au XIXe siècle que les essais reprennent réellement. Pourtant le remplacement du sang animal par du sang humain, lors des transfusions, est loin de résoudre tous les problèmes et des accidents mortels subsistent.

Tout change brutalement, en 1900, quand Karl Landsteiner démontre que tous les sangs humains ne sont ni semblables ni compatibles entre eux. La découverte des groupes sanguins ABO, suivie en 1940 de celle des groupes Rhésus, va permettre de réaliser des transfusions sûres et efficaces.

Grâce au citrate de soude et à ses propriétés anticoagulantes, le sang peut être conservé

Jusqu'en 1913, les transfusions se font toujours de bras à bras. Le sang prélevé doit être immédiatement réinjecté avant qu'il ne coagule. Une canule relie la veine du donneur à celle du receveur ou, parfois même, la veine de l'un est «cousue» à celle de l'autre. Cette technique, ou méthode de Crile, qui nécessite la présence de donneurs, de jour comme de nuit, est peu conciliable avec les interventions d'urgence ou les besoins importants en sang.

Pendant la Première Guerre mondiale, le docteur Jeanbrau recueille le sang des soldats donneurs sur une solution de citrate de soude qui l'empêche de coaguler. Grâce à cette découverte et à ses améliorations constantes, le sang peut désormais être stocké et transporté.

L e premier centre français de transfusion sanguine fonctionne grâce au fichier des donneurs de «bras à bras» (ci-dessus) répondant aux appels d'urgence et demeurant aux côtés du patient pendant la durée de l'opération (ci-dessous).

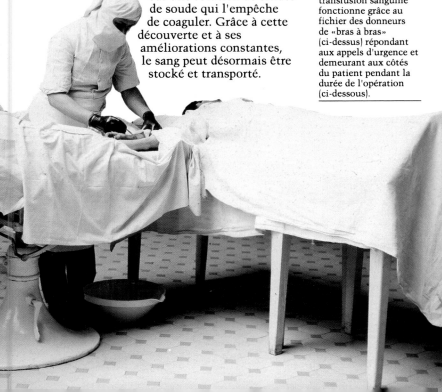

C'est pendant la Seconde Guerre mondiale que la transfusion démarre réellement et s'organise selon le modèle américain. Le sang, récolté auprès de civils et conservé dans des ampoules citratées, est acheminé vers les hôpitaux et les ambulances chirurgicales de l'avant (ci-dessus) dans des caisses isothermes réfrigérées, véhiculées par les ambulances et les avions de la Croix-Rouge (en bas, à gauche). Dès 1943, sang total et plasma (collectés dans les centres d'Alger, de Fez, de Tunis ou venu des Etats-Unis et du Royaume-Uni) répondent aux besoins en sang des combattants et des blessés civils (en haut, à gauche, collecte du sang pendant le bombardement de Londres).

L'organisation de la transfusion sanguine doit beaucoup aux dernières guerres

Pour remédier aux hémorragies ou permettre des opérations sur le front, de nombreuses améliorations sont apportées à la transfusion : perfectionnement des méthodes de prélèvement, premières techniques de fractionnement du plasma, organisation du transport du sang.

Fort de son expérience militaire, le docteur Tzanck fonde en 1923, à l'hôpital Saint-Antoine, le premier centre de transfusion sanguine ; le nombre des accouchées y décédant des suites d'hémorragie baisse spectaculairement.

En 1929, la France est le premier pays à disposer d'une organisation transfusionnelle à la mesure de ses besoins. La découverte du facteur Rhésus dès 1940 évite les accidents dus aux transfusions répétées. Les techniques de fractionnement du plasma sanguin, la congélation à très basse température, l'utilisation du conditionnement plastique et la découverte de nouveaux anticoagulants constituent des avancées spectaculaires au milieu du siècle : progrès encore

Alger, en 1942, la chaîne du sang s'organise : les populations civiles donnent leur sang pour les blessés du front. Après la Libération, les collectes continuent. En France, aujourd'hui, on exécute chaque année près de quatre millions de prélèvements de sang total, réalisés pour l'essentiel par des unités mobiles. Parallèlement, les collectes directes de plasma (plasmaphérèse) ou de plaquettes et de globules blancs (cytaphérèse) sont en progression constante. Elles ont représenté près de 220 000 manipulations en 1985.

accrus par la mise en évidence du système d'histocompatibilité H.L.A. et des antigènes plaquettaires et sériques. La transfusion sanguine, née des besoins de la guerre, s'est dégagée de ses origines pour devenir une discipline à part entière, ayant son propre champ de recherche.

La transfusion ne se limite plus à la collecte, à la conservation et à la distribution du sang total et du plasma

Les centres de transfusion sont de véritables usines de production et des laboratoires de recherche, répondant en permanence aux demandes des hôpitaux et des cliniques. Les techniques les plus sophistiquées sont utilisées pour fractionner le sang et fournir de multiples dérivés ayant chacun leur indication particulière. On sait actuellement séparer par centrifugation les divers éléments sanguins et n'injecter aux patients que ceux dont ils ont besoin : globules rouges ou blancs, plaquettes, plasma et diverses fractions plasmatiques.

L a centrifugeuse (ci-dessus), à une vitesse très élevée (2 000 à 5 000 tours/min), sépare les composants du sang en fonction de leur densité. Dans l'éprouvette ci-dessous, de bas en haut : globules rouges, globules blancs, plaquettes et plasma.

La transfusion de sang total est de plus en plus rare

Le sang total, utilisé tel qu'il a été prélevé et conservé dans des récipients stériles (poches plastique ou flacons de verre) contenant une solution anticoagulante, n'est prescrit qu'en cas d'hémorragies aiguës. La réduction importante de la masse sanguine se traduit par une chute de la tension artérielle. Il faut alors restaurer les fonctions défaillantes du malade (pouvoir de transporter l'oxygène, fonction hémodynamique et, plus accessoirement, fonction hémostatique).

Ce sang total est surtout indiqué pour les interventions longues et importantes (chirurgie thoracique, vasculaire) ou pour les hémorragies graves de l'accouchement.

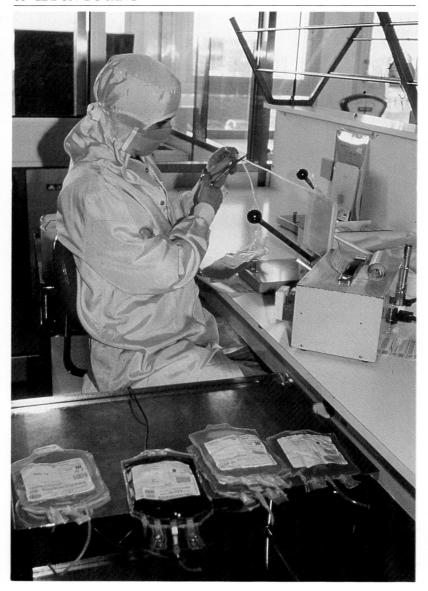

Les concentrés de globules rouges restituent au sang son pouvoir d'oxygénation

Associés à du plasma frais congelé ou à des colloïdes, les concentrés érythrocitaires réduisent les risques de surcharge vasculaire et d'immunisation. Comme le sang total, ils se conservent à +4 C pendant trois ans, et pendant des années lorsqu'ils sont congelés à -85 C. Il existe aussi des banques de globules rouges des groupes les plus rares.

On utilise ces concentrés pour les interventions chirurgicales et les accidents de la circulation. Leur transfusion est également nécessaire pour remédier à certaines anémies chroniques ou dans les cas de greffe de moelle. Leur mode de préparation dépend de la nature de la maladie et de l'état d'immunisation du sujet.

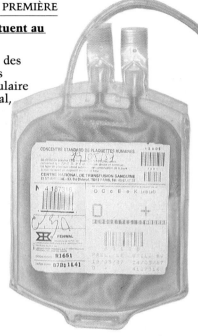

La transfusion de plaquettes et de globules blancs évite hémorragies et infections

La diminution du nombre des plaquettes, tout comme celle des globules blancs, constitue une maladie spécifique mais peut aussi être la conséquence de traitements chimiothérapiques qui détruisent aussi bien les cellules saines que les cellules cancéreuses.

Pour éviter les complications hémorragiques,

E quipées d'installations pour fractionner, congeler (ci-dessous), stériliser ou lyophiliser, les centres de transfusion deviennent des unités industrielles produisant en grande quantité les dérivés sanguins (ci-dessus, des concentrés plaquettaires). Laboratoires de recherche (à gauche), ils assurent groupages sanguins, tests de contrôle et de dépistage, recherches sur les structures moléculaires et les biotechnologies.

on peut transfuser des concentrés d'unités plaquettaires fraîches venant de plusieurs donneurs. Mais cette méthode augmente le risque d'allo-immunisation. On préfère maintenant transfuser un concentré unitaire venant d'une seule personne et prélevé par cytaphérèse : grâce à un séparateur de cellules et en un seul prélèvement, une quantité importante de plaquettes est soustraite, et la totalité des globules rouges et du plasma est restituée au donneur.

La cytaphérèse est également employée pour préparer les concentrés unitaires de polynucléaires, en quantité suffisante pour l'efficacité du traitement des malades déficients en globules blancs et surinfectés malgré une antibiothérapie polyvalente.

Cette «opération», qui dure quelques heures, est sans risque pour le donneur. Elle permet d'obtenir des concentrés contenant, par unité, 400 milliards de plaquettes ou 20 millions de globules blancs.

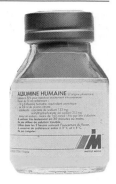

Plasma et albumine sont utilisés dans les états de choc

Les besoins en plasma et en albumine sont plus importants que ceux en globules rouges ou blancs. Ils sont nécessaires pour lutter contre la diminution du volume plasmatique dans les accidents et dans divers états de choc : grands blessés et grands brûlés.

On obtient le plasma par centrifugation de sang déjà prélevé ou plus spécialement par plasmaphérèse. Par cette méthode pratiquée lors du prélèvement, seul le plasma est conservé alors que les autres cellules du sang sont restituées au donneur. Sans altérer la masse globulaire de celui-ci, on peut extraire beaucoup plus de plasma que par un procédé classique. Congelé à -30 C, le plasma se conserve pendant six mois sans perdre ses qualités. Lyophilisé, il se garde de trois à cinq ans à la température ordinaire.

L'albumine est le constituant du plasma qui permet le mieux de retenir l'eau dans la circulation sanguine. Cette protéine est plus onéreuse que le plasma complet, mais sa préparation met à l'abri de toute transmission d'hépatite virale.

De gigantesques cuves (ci-dessus) assurent le fractionnement d'une quantité croissante de plasma (230 000 litres en 1987). Parmi ses dérivés, l'albumine (en haut) et les fractions anticoagulantes traitant l'hémophilie, maladie héréditaire dont souffrait le jeune tzarévich Alexis (à droite, dans les bras de son père, le tzar Nicolas II).

Dérivés plasmatiques et immunoglobulines : de nouvelles armes thérapeutiques

Le plasma peut aussi se fractionner en différents constituants ayant chacun leurs indications thérapeutiques.

L'administration de fractions plasmatiques coagulantes a transformé la vie des hémophiles. Chez les hémophiles A, les traumatismes graves sont traités par injections répétées de fractions concentrées du Facteur VIII qui leur fait défaut. Pour les hémophiles B, ce sont des fractions concentrées de quatre facteurs qui sont administrées. Le risque d'immunisation contre ces fractions subsiste cependant.

L'injection d'immunoglobulines, fractions d'anticorps concentrés, est réservée au traitement de certaines affections bactériennes ou virales, à titre préventif (injections contre les oreillons, le tétanos, etc.) ou curatif (contre la variole).

Trois techniques nouvelles, d'origine transfusionnelle, ont enrichi la médecine

L'exsanguino-transfusion, c'est-à-dire le remplacement d'une partie ou de la totalité du volume sanguin d'un sujet malade par du sang normal, comprend deux opérations qui doivent être simultanées et porter sur les mêmes volumes : la soustraction du sang du receveur et l'injection du sang du donneur. Elle a permis à Jean Bernard et Marcel Bessis d'obtenir en 1947 une première : la rémission complète d'une leucémie aiguë. Elle a traité fréquemment les

cas d'ictère hémolytique du nouveau-né.

Par les échanges plasmatiques, les anticorps circulant ou les protéines anormales peuvent être sélectivement mais provisoirement extraits du sang des malades.

La circulation extra-corporelle, qui a transformé la chirurgie cardiaque, assure, sous contrôle, la fonction du cœur pendant l'intervention. Le chirurgien peut ainsi ouvrir les cavités cardiaques, la perfusion du reste de l'organisme étant assurée par un système cœur-poumon artificiel. Le sang est dérivé de l'oreillette droite vers un oxygénateur et réinjecté soit dans l'aorte, soit dans l'artère fémorale. Le débit, la pression, l'équilibre respiratoire et la coagulation de cette circulation sont contrôlés pendant toute l'opération.

En France, la transfusion sanguine est volontaire, bénévole et anonyme

Le don du sang est considéré comme un des devoirs civiques de l'individu sain envers le malade. L'âge du donneur doit être compris entre 18 et 60 ans et

●● Le don du sang doit en toute circonstance être volontaire [...]. Le donneur doit être informé des risques liés au prélèvement [...]. Le profit financier ne doit jamais être une motivation ni pour le donneur ni pour les responsables du prélèvement [...]. L'anonymat entre le donneur et le receveur doit être respecté.[...] Le don du sang ne doit comporter aucune discrimination de race, de nationalité ou de religion [...]. Le sang doit être prélevé sous la responsabilité d'un médecin. [...] ●●

Extrait du texte législatif français, 1952.

REPUBLIQUE POPULAIRE DU BENIN

les dons sont limités à cinq par an pour l'homme et à trois pour la femme. Avec 4,5 millions de dons individuels par an, la France répond à ses propres besoins. Elle est le premier pays au monde qui ait organisé le don du sang, et non sa vente.

Aux États-Unis, au contraire, 80 % du plasma est collecté par des entreprises privées qui rémunèrent leurs «donneurs». Le sang, dans ce pays et dans beaucoup d'autres, constitue une denrée commerciale et un produit d'exportation. Les donneurs sont souvent issus de pays du tiers monde (Amérique latine surtout) où l'«or rouge» fait l'objet de véritables trafics.

L a Société internationale de transfusion sanguine a élaboré cette proposition de code d'éthique protégeant aussi bien le donneur que le receveur. Dans le monde entier, des campagnes nationales ou professionnelles (à gauche, chez les cheminots français) encouragent le don du sang.

Le donneur français bénéficie d'une réelle médecine préventive

Le sang transfusé doit être «sain». Interrogatoire du donneur, examen médical et surtout tests biologiques s'efforcent de s'en assurer. Outre les

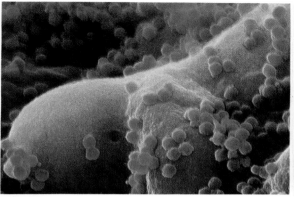

groupages sanguins, on pratique actuellement en France la détection des anticorps paludéens, celle de l'antigène de l'hépatite B, le dépistage sérologique de la syphilis et, depuis août 1985, la détection des anticorps anti-HIV du virus du sida. Ces tests sont en progrès constant et constituent une double sécurité. Ils procurent à la population des donneurs un contrôle médical de qualité et réduisent à l'extrême les risques de contamination par voie transfusionnelle. De plus, pendant la transfusion, donneur et receveur bénéficient d'une surveillance clinique.

Cependant, la crainte pousse certains, surtout aux États-Unis, à vouloir stocker leur propre sang. C'est l'autotransfusion qui, jusqu'à présent, n'était pratiquée que dans les cas de chirurgie programmée ou pour des personnes possédant des groupes sanguins très rares.

Les tests de dépistage, comme celui du virus du sida, obligatoires en France pour tous dons de sang, visent à assurer la sécurité des produits sanguins transfusés. On voit ci-dessus le virus du sida se former et se détacher peu à peu de la membrane cellulaire.

Le génie génétique sait produire certains substituts sanguins, mais le don du sang reste irremplaçable

Le sang humain est trop complexe pour qu'on puisse en reconstituer toutes les propriétés par synthèse. Toutefois les biotechnologies permettent d'obtenir certains substituts comme des immunoglobulines spécifiques (pour le tétanos et la maladie hémolytique du nouveau-né), des fractions anticoagulantes et des produits artificiels transporteurs d'oxygène. Ceux-ci, même si leur durée d'action est très temporaire, se révèlent très utiles dans les cas d'urgence, de désastre ou de rupture de stock. On sait aussi produire des facteurs stimulant la production leucocytaire et une hormone, l'érythropoïétine, qui permet, dans certains cas d'anémie, une nouvelle production de globules rouges. En ce qui concerne les plaquettes et surtout les globules blancs, cellules extrêmement complexes, on peut affirmer qu'on ne saura pas reproduire toutes leurs fonctions avant un avenir très lointain.

Cette évolution prometteuse ne doit pas faire oublier que la transfusion «classique» sauve quotidiennement des milliers de vies, qu'elle reste indispensable pour toute chirurgie ou médecine évoluée et qu'elle repose sur le don.

L'hématologie connaît une révolution technologique et conceptuelle, qui lui pose de nombreux problèmes éthiques

La biologie moléculaire et les nouvelles méthodes de culture permettent de mieux comprendre le mécanisme de certaines maladies et d'espérer des améliorations thérapeuthiques.

Ces progrès posent de nouveaux problèmes. Dans certaines maladies du sang, chroniques et constamment fatales, il s'agit en effet de faire des choix graves tels que décider d'un traitement qui peut guérir le patient, mais aussi le tuer par son agressivité. Des comités d'éthique, sous l'impulsion de Jean Bernard, ont été créés pour fixer certaines règles, mais chaque malade est un cas particulier à résoudre chaque jour.

Le sang n'interroge pas seulement les spécialistes, il nous questionne tous. La seule réponse est celle du don, don du sang et don de la moelle.

Pas de barrières pour les pigeons voyageurs utilisés parfois pour transporter des échantillons de sang à analyser en urgence (ci-dessus et à gauche). Plus de barrières douanières non plus, à partir de 1992, pour les produits sanguins qui vont pouvoir circuler librement à travers l'Europe. Cette échéance signifie la cohabitation de dérivés sanguins artificiels et surtout de produits sanguins d'origine humaine, issus de la C.E.E. ou importés, prélevés sur des donneurs bénévoles ou rétribués. Confrontée à la concurrence, la France va devoir s'adapter tout en maintenant à la fois son éthique et l'exigence de qualité et de sécurité vis-à-vis des donneurs comme des receveurs.

TÉMOIGNAGES
ET DOCUMENTS

"Écrire le corps,
ni la peau, ni les muscles,
ni les os, ni les nerfs,
mais le reste.
Un ça,
balourd, fibreux, pelucheux, effiloché,
la houppelande d'un clown."

Roland Barthes

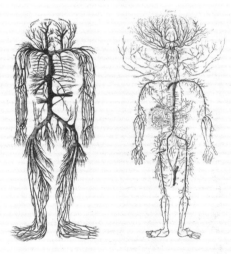

Sang et Alliance

*A travers les religions,
les mythes et les lois,
le sang imprime sa marque
sur les sociétés.
Dans l'Ancien comme dans
le Nouveau Testament,
il est au centre de l'alliance
entre l'homme et l'Éternel.*

Tu feras disparaître d'Israël toute effusion de sang innocent, et tu seras heureux...
Deutéronome, 19, 13

Le sang dans la Bible

Dans l'Ancien Testament

Au deuxième millénaire, les Hébreux étaient des Sémites nomades que rien d'essentiel ne distinguait des autres. Ils avaient, eux aussi, sacralisé leurs coutumes sanguinaires, imaginant que le dieu de leur tribu combattait pour eux et avec leurs méthodes : pas de quartier pour les ennemis ! Quant aux meurtres, ils les réglaient entre clans par la vengeance, une vengeance qui fut d'abord sans limites et qui, même une fois mesurée par la loi du talion, pouvait encore frapper aussi bien des parents ou des descendants du coupable. En réalité, il s'agissait moins d'une mesure de justice ou de police que d'une compensation du sang par le sang. Le sang versé criait de lui-même tant qu'il n'était pas recouvert de poussière ; une mystérieuse menace en émanait, qui allait « retomber sur la tête » du meurtrier et qui stérilisait la terre alentour. Seul du sang pouvait rétablir le cours normal des choses en annulant le désordre qu'un premier sang versé avait provoqué ; d'où des rites spécifiques quand le meurtrier restait inconnu (Deutéronome 21, 1- 9).

Quant au sang des animaux, il passait semblablement pour avoir une puissance mystérieuse qui le rendait dangereux à consommer ; d'où le tabou alimentaire dont plusieurs textes de l'Ancien Testament ont finalement fait une loi divine, transformant ainsi l'interdit magique en interdiction religieuse et lui assurant autorité jusqu'à nos jours, comme le montrent les boucheries « kacher ». Mais – côté positif du sacré après le côté négatif –, cette puissance mystérieuse faisait aussi du sang, pour les Israélites, le grand intermédiaire avec le divin, d'où son rôle essentiel dans leurs sacrifices, qui eurent d'abord la simplicité à laquelle on peut s'attendre de la part de nomades : une immolation avec effusion du sang sur une grosse pierre conçue comme résidence ou émergence de la divinité.

Or voici qu'au XIIIᵉ siècle se produit une rupture. Moïse apparaît. Il libère les Hébreux de leur esclavage en Egypte, et cela, dit le livre de l'Exode, en intimidant le pharaon par des fléaux que YaHWeH envoie. Il réussit enfin avec le dixième (la mort des nouveau-nés dans tout le pays). Les Israélites, eux, ont été épargnés grâce au sang de l'agneau de pâque (leur fête de printemps) appliqué sur les portes, non plus comme un épouvantail pour les esprits malfaisants, mais comme un signe demandé par leur dieu : nouvel exemple de cette mutation du magique en religieux qui est la loi de l'histoire biblique. Ensuite, lors d'un long séjour dans le désert du Sinaï, Moïse invite les Israélites à conclure avec son dieu, qu'il dit être le dieu des Pères, une « alliance », exclusive de part et d'autre, sur la base d'une loi morale, qui fait de lui le dieu de toute justice. Et cette « alliance », il la sanctionne avec le sang d'un sacrifice répandu par moitié sur eux et sur l'autel – autre usage du sang, inspiré celui-là par un rite d'alliance assez général qui fait de l'échange du sang entre les contractants le simulacre d'une parenté naturelle.

Une fois installés en Canaan, les Israélites diversifient leur liturgie sacrificielle par des emprunts tels que celui de l'holocauste, mais toujours en conservant son rôle essentiel à l'effusion du sang sur l'autel, rite inconnu des religions voisines. Empruntent-ils aussi la pratique des sacrifices humains ? Beaucoup en subirent l'étrange fascination malgré les prophètes, qui y dénonçaient la pire des « abominations » dont se déshonorait l'idolâtrie des Moabites, des Cananéens, Phéniciens, etc. Mais, dans le culte même de YaHWeH, il ne peut en être question, comme le signifie entre autres l'épisode du sacrifice d'Isaac. En fait de sacrifices sanglants – puisque, malgré l'évolution spirituelle en cours, telle est encore en Israël la plus haute pratique du culte – , YaHWeH ne veut que le sang des animaux ; seulement il le veut dans des sacrifices qui, loin d'offrir une efficacité magique, sont bientôt compris (Lévitique 17, 11) comme des moyens qu'il offre à ses fidèles de se purifier de leurs fautes : impuretés rituelles conçues d'après des traditions archaïques, mais aussi péchés d'ordre moral, auxquels le progrès de la conscience rendait de plus en plus sensible.

Mais veut-il vraiment ce sang des victimes qu'on fait rituellement couler sur son autel ? On pourrait presque en douter à voir avec quelle insistance les prophètes n'ont cessé de mettre en garde contre les déviations du ritualisme. Ils répètent, après Samuel, que « l'obéissance vaut mieux que le sacrifice » (Premier Livre de Samuel 15, 22). L'Evangile devait donner à cette idée toute sa portée en substituant un autre culte aux sacrifices sanglants, qui, d'ailleurs, n'allaient pas tarder à cesser complètement lorsqu'en l'an 70 fut détruit le Temple de Jérusalem.

Dans le Nouveau Testament

Cette mutation nouvelle n'a pas eu lieu sans drame. En ranimant les grands thèmes de la tradition prophétique pour en tirer toutes les conséquences et pour en réaliser les promesses, Jésus de

Nazareth a dressé contre lui les autorités en place. D'où sa mort sanglante sous Ponce Pilate, autour de l'an 30.

Il n'avait rien fait pour s'y soustraire ; il s'était même jeté dans la gueule du loup, alors qu'il n'avait pas encore eu deux ans pour former à sa doctrine, qui était tout sauf rudimentaire, un groupe d'hommes du peuple destinés à la répandre jusqu'aux extrémités du monde. Cette mort faisait donc partie de son plan d'action comme messie, mais un messie autre que la plupart n'attendaient : le messie souffrant tel que le préfigurait le « Serviteur de YaHWeH » (Isaïe 52, 13 ss ; cf. Actes 8, 26 ss ; Jean 1, 29). Quand il avait annoncé sa Passion, ses disciples n'avaient pas compris (Marc 8, 31-33 ; 9, 30-32 ; 10, 32-34). Mais maintenant qu'en grand nombre ils pensaient l'avoir vu réellement ressuscité (1re épître aux Corinthiens 15, 3-8 ; Actes *passim*), ils attribuèrent à sa mort une signification plus qu'humaine : c'était un sacrifice volontairement accompli par le Fils de Dieu fait homme pour donner la mesure sans mesure de l'amour de son Père envers le monde (Jean 3, 16 ; Romains 5, 8) et montrer par l'exemple comment il faut y répondre (I Jean 4, 7 ss ; Romains 6).

Pouvait-on parler de sacrifice, alors qu'il n'y avait eu ni autel, ni prêtre, ni immolation rituelle, mais seulement un meurtre politique après une parodie de justice ? Oui, dans une religion « en esprit et en vérité » (Jean 4, 23-24), car, comme nous l'apprend saint Augustin (De Civ. X, 5-6), pour qu'il y ait sacrifice, il faut et il suffit que ce qui est fait par l'offrant exprime sa volonté de s'unir à Dieu. Une telle volonté a habité le Christ sa vie entière, lui qui,

pour remplir la mission qu'il estimait avoir reçue de son Père, « s'est fait obéissant jusqu'à la mort, et à la mort sur une croix » (Philippiens 2, 8, cf. Hébreux 5, 8). Alors que, dans les sacrifices d'Israël et d'ailleurs, ce que les hommes donnent n'est qu'un peu de leur avoir à titre symbolique, c'est lui-même qu'il a livré jusqu'à la limite de ses forces et à la dernière goutte de son sang.

Comment les premiers disciples purent-ils comprendre la portée de ce sacrifice ? En reconnaissant, grâce aux analogies suggérées par le sang versé de part et d'autre, qu'il résumait et sublimait les sacrifices de l'Ancienne Loi. Comme le sang de l'agneau de la Pâque en Egypte, le sang de Jésus, « l'Agneau qui enlève le péché du monde » (Jean 1, 29 cf. 19, 36 ; Apocalypse 5, 6 ; 1re épître de saint Pierre, 19 ; 1re épître aux Corinthiens 5, 7), mettait fin à un esclavage : celui du péché. Comme le sang de l'Alliance au Sinaï, il sanctionnait une Alliance : la nouvelle et définitive (Marc 14, 24 ; 1re épître aux Corinthiens 11, 25 ; Hébreux 8, 6 et *passim*), promise par les prophètes (Jérémie 31, 31-34), Comme le sang des sacrifices du Temple, il était versé pour la rémission des péchés (Matthieu 26, 28, cf. 20, 28 ; etc.), mais en l'obtenant « une fois pour toutes » (Hébreux 9, 12). Disparates à l'origine, ces trois significations convergeaient en l'occurrence comme trois schémas d'analyse superposables : elles revenaient au fait qu'en versant son sang pour appuyer son témoignage, le Christ avait assuré aux pécheurs qui se repentent la possibilité de se réconcilier avec son Père et de former, en s'agrégeant à lui par leur propre sacrifice, un nouveau « peuple de Dieu » cette fois sans frontières.

Ceci est mon corps, qui va être livré pour vous... Ceci est mon sang, qui va être versé pour vous...

Dès lors, le culte chrétien pouvait-il avoir un autre objet que permettre aux fidèles de manifester leur volonté de s'unir à celui qu'ils croient devenu, par l'effusion de son sang, leur intercesseur à jamais vivant ? Le rite à cet effet, l'Eglise n'eut pas à l'inventer et l'on ne s'étonne pas qu'il nous soit documenté dès l'an 55 par une lettre aux Corinthiens, dans laquelle Paul renvoie d'ailleurs à son enseignement antérieur (1re épître aux Corinthiens 11, 23 ss). Le soir de son arrestation, Jésus avait profité du repas de la Pâque juive pour instituer celui de la Pâque chrétienne en conférant une signification nouvelle aux bénéfictions déjà symboliques du pain et du vin : « Ceci est mon corps, qui va être livré pour vous », « Ceci est mon sang, qui va être versé pour

vous ». L'expression hébraïque « la chair et le sang », qui désigne l'homme dans sa réalité terrestre, pouvait à elle seule faire comprendre aux Apôtres qu'en leur demandant de répéter ce rite « en mémoire de lui », le Christ leur offrait le moyen de le rendre invisiblement, mais réellement présent au milieu de ses fidèles toutes les fois qu'ils voudraient offrir sous le couvert du sien leur propre sacrifice.

Ainsi, autour de ce sang du Christ, symboliquement séparé du corps sur l'autel où, sans couler à nouveau, il actualise le sacrifice de la croix, se rejoignent pour les croyants tous les aspects de la foi chrétienne : événements de l'histoire du salut et perspectives de l'avenir eschatologique, dogmes du Credo et exigences de la morale, élans de la piété personnelle et progrès de l'unité humaine par le royaume de Dieu – matière inépuisable pour la réflexion des théologiens, pour la méditation des spirituels et, comme en témoignent tant de chefs-d'œuvre siècle après siècle, pour l'inspiration des artistes.

Pierre Golliet

Le politique, le lien, le sang : les sciences de la vie face à l'ordre généalogique

Filiation et identité sont au cœur des systèmes généalogiques. Biologique, social et inconscient se fondent dans le flux d'une parole à dominante juridique.

Le lien du sang est une manière de parler. C'est une métaphore, essentielle à la culture occidentale, pour évoquer la filiation et ses implications mobilisant le corps et la parole.

Autrement dit, le lien du sang n'est pas le lien du sang. Il s'agit d'autre

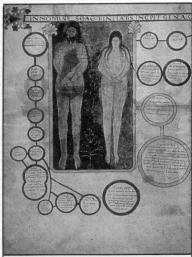

Cet arbre de consanguinité du XIVᵉ siècle, provenant du décret de Gratien, indique tous les cas d'empêchement au mariage.

chose, de la mise politique, au sens fort du terme, grâce à laquelle les sociétés procurent à leurs sujets les moyens normatifs de l'humanisation. L'enjeu peut en être ainsi résumé : il ne suffit pas de produire la chair humaine, encore faut-il l'instituer, pour qu'elle vive.

Les grands travaux des sciences, les exploits techniques et les idéaux de liberté rencontrent sous nos yeux la question universelle et de tous les temps : pourquoi l'humanité a-t-elle recours à des règles juridiques dans la reproduction de la vie ? La civilisation industrielle tourne et retourne ce *pourquoi* ? classique. Il faut y ajouter la question de l'ordre généalogique. Sur ce terrain ont été accumulées des expériences institutionnelles innombrables, historiquement et géographiquement variables, mais

construites pour la même fonction : édifier l'ordre structural qui permet à l'humanité de vivre et de se perpétuer.

L'abord des choses sera facilité par trois remarques, notifiant le mécanisme dont il s'agit. Les systèmes généalogiques ne sont pas des monolithes, des blocs de règlements dans le recoin des sociétés. Nous avons affaire à des problèmes de base, entremêlant des disciplines fondamentales et qui touchent aux points les plus sensibles de l'organisation humaine.

La généalogie introduit, au cœur des sciences de la vie, un élément supplémentaire de complexité : l'institution de la parole, comme rapport à la causalité de la reproduction humaine.

Voilà une question prodigieuse, qui oblige à élargir la réflexion sur la science et la vie. Nous connaissons, dans la tradition occidentale, l'inusable démonstration d'Aristote : l'animal humain peut être appelé politique, *parce qu'il parle*. Un seuil de complexité est alors franchi par rapport aux autres espèces, et la notion même de la *vie* doit être envisagée à partir de cette raison-là.

Les Anciens se représentaient l'appartenance des institutions au savoir général sur la vie, par une formule juridique très éloquente : *instituer la vie (vitam instituere)*. De nos jours, les problèmes soulevés par la médecine et la biologie de l'ère industrielle donnent tout son poids à cette formulation. Les sociétés contemporaines ont à réinvestir le droit comme *science du vivant parlant*. Mais comment désigner ici les enjeux ? De là, cette autre remarque : l'ordre généalogique a pour visée anthropologique de rendre possibles la vie et la reproduction de la vie, en traitant les enjeux de différenciation.

Dans l'espèce parlante, la différenciation est traitée par rapport à un constat fondamental : une société n'est ni un troupeau ni un magma, mais une organisation qui suppose de se reconnaître elle-même comme entité douée du pouvoir normatif et se compose d'humains subjectivement différenciés.

Ainsi les techniques de la différenciation sont-elles dépendantes de la capacité de se représenter ce qu'est l'identité, c'est-à-dire d'un mode de représentation intrinsèquement lié à ce que, selon le vocabulaire occidental, nous appelons la Loi. La problématique des filiations, telle qu'un système de généalogie le donne à voir, ne relève donc pas seulement des traces déposées par l'histoire ni des relations sociales comptabilisées par la gestion moderne ; elle mobilise le noyau dur découvert par Freud : la structure inconsciente du sujet. La découverte de l'inconscient – c'est-à-dire d'un drame subjectif universel, qui se joue sur un théâtre intérieur inconscient, appelé par Freud l'Autre Scène – a bouleversé notre compréhension de la reproduction humaine. Le drame œdipien (en référence à sa mise en scène par la tragédie grecque) définit les conditions inconscientes de la différenciation subjective.

Sur la base de cette remarque, on aperçoit plus aisément la fonction structurale des institutions : il s'agit de *nouer le biologique, le social et l'inconscient* par des moyens juridiques qui fasse loi généalogique pour le sujet.

Reste à considérer le travail de montage, dont résulte dans une société l'institutionnel généalogique : l'ordre généalogique se résout en montages misant sur les effets du pouvoir de référer, c'est-à-dire du pouvoir de fonder et de légitimer la différenciation. Sur fond de représentations, plus ou moins théâtrales, du pouvoir de différencier ainsi défini (fondé et légitimé), l'humanité travaille indéfiniment la question vitale de l'identité, à travers laquelle se joue, à l'échelle sociale comme pour chaque individu, le principe de Raison. Le discours de généalogie n'est donc jamais caduc pour les sociétés, puisqu'elles ont à se fonder, transcendant les individus qui passent ; pour les sujets, puisqu'elles doivent entrer dans l'ordre des filiations, dont dépendent le statut du vivant parlant et la transmission de la vie. Un tel fonctionnement est rendu possible par les montages de la Référence.

De ces montages, le *schéma élémentaire* est simple, ayant à mettre en scène – au niveau politique fondateur comme au niveau des réglages familiaux – les grandes représentations du pouvoir, à partir desquelles sont articulées les fonctions généalogiques centrales : mère et père.

Les effets du pouvoir de référer passent par l'échafaudage juridique de la triangulation : chaque sujet humain doit être séparé d'avec la mère ; autrement dit, la relation à la mère doit comporter un horizon qui la dépasse. Le montage généalogique construit cet horizon, où prend place en toute société la représentation du père.

Tel est le principe d'organisation, instaurant le mécanisme d'une Référence de légalité à plusieurs étages, sur lequel les systèmes politiques ont brodé à l'infini.

Pierre Legendre

Le sang et la science

Avec la biologie moléculaire, la science du sang a franchi de nouvelles étapes, en particulier dans le domaine de l'identité biologique ou dans celui de la pathologie.
Ces révolutions technologiques appellent une nouvelle éthique.

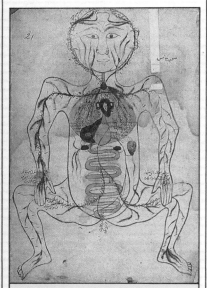

R eprésentation de la circulation sanguine dans un manuscrit persan.

Ethique du sang et de ses maladies

La recherche hématologique doit s'engager dans une entreprise d'envergure.

Le sang et ses maladies ont bien souvent, pour la bio-éthique, valeur de modèles.

Ainsi, l'étude des hémoglobines anormales, particulièrement de l'hémoglobine S, de ses relations avec le paludisme, a établi deux notions fondamentales : 1° Entre les hommes, il n'y a pas inégalité mais différence ; 2° Le métissage est avantageux. Cette étude a, la première, apporté de très forts arguments biologiques ruinant les théories racistes.

L'étude d'une autre maladie de l'hémoglobine, la thalassémie, a fait connaître la gravité des problèmes moraux posés par le diagnostic *in utero* des formes graves de la maladie, la difficulté de trouver une solution tant est complexe l'intrication de données éthiques, religieuses, biologiques, médicales, financières.

Les maladies héréditaires du sang, les maladies de l'hémoglobine, certes, mais aussi l'hémophilie et d'autres maladies hémorragiques vont être, sont déjà, le premier domaine d'application du génie génétique avec, d'un côté l'espoir de diminuer le malheur, d'un autre côté la crainte des conséquences d'une application non contrôlée du génie génétique.

La prévention, la prédiction des maladies deviennent possibles par l'étude des groupes sanguins du système HLA avec, là encore, d'heureuses conséquences et aussi des soucis du côté de l'interdiction éventuelle de certains emplois.

C'est souvent en ces dernières années, à propos des maladies du sang,

que se sont trouvés posés les problèmes moraux suscités par les thérapeutiques modernes. Recours aux volontaires sains illustrés par les travaux de Dausset sur les relations entre groupes HLA et greffes d'organes. Premier essai d'un nouveau traitement des leucémies. Essais comparatifs de deux méthodes thérapeutiques, essais moralement nécessaires et nécessairement immoraux. Questions liées aux greffes de moelle osseuse, au recours à un donneur enfant, à l'utilisation de tissus embryonnaires. Etudes épidémiologiques sur les leucémies avec le respect difficile du secret.

Ces exemples témoignent de l'importance, de la gravité des questions rencontrées. L'importance aussi des principes qui vont gouverner les réflexions, la recherche de solutions moralement satisfaisantes. Le refus du lucre : les hématologues français ont la fierté d'avoir, les premiers au monde, refusé la vente du sang, organisé le don du sang. Le respect de la connaissance avec les remarquables progrès de la science du sang. Le respect de la personne que les hématologues modernes ont contribué à définir. Chaque homme défini par ses groupes sanguins est un être unique, irremplaçable, différent de tous les autres hommes.

Jean Bernard

Les marqueurs biologiques, témoins de l'individualité

La combinaison des marqueurs biologiques, présents dans le sang, fait de chacun d'entre nous un être unique.

La photographie de la carte d'identité de chacun d'entre nous est certes un moyen commode de nous individualiser les uns les autres, mais les traits de chacun de nos visages sont modelés par un très grand nombre de gènes : il est tout à fait impossible au biologiste de définir un visage par une formule. Il en va tout autrement des caractéristiques des groupes sanguins, ou plus généralement de l'ensemble des marqueurs du polymorphisme génétique, qui sont monogéniques et dont le produit est qualitatif. Nous disposons ainsi d'une formule biologique entièrement objective qui va permettre de définir chacun d'entre nous avec une précision analogue à celle d'une photographie, mais sans photographe, avec seulement quelques millilitres de sang.

Dans l'appellation groupe sanguin, le terme groupe représente un

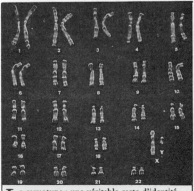

Le caryotype : une véritable carte d'identité génétique.

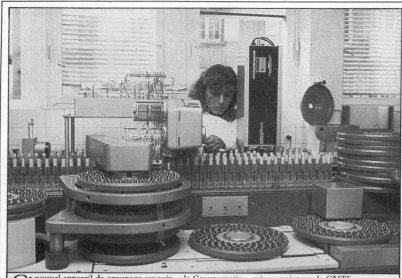

Ce nouvel appareil de groupage sanguin, « le Groupamatic », mis au point par le CNTS, analyse 360 échantillons de sang à l'heure et les enregistre sur ordinateur.

ensemble d'individus qui ont un caractère en commun et se distinguent ainsi des autres, et l'adjectif sanguin signifie que ce caractère concerne une cellule ou une molécule présente dans notre sang. Actuellement, plus de trente systèmes indépendants répondent à cette définition. En dehors des groupes sanguins érythrocytaires qui ont été les premiers définis, on connaît maintenant les groupes sanguins d'autres cellules (plaquettes, leucocytes, lymphocytes), les groupes sériques (concernant les molécules du plasma) et les groupes d'enzymes des différentes cellules sanguines, en particulier du globule rouge. On sait d'autre part, depuis la découverte du HLA *(Human Leucocyt Antigen)* que beaucoup d'antigènes de groupes sanguins se trouvent présents dans de très nombreuses cellules de l'organisme et sont appelés groupes tissulaires. Avec l'ensemble de ces systèmes, la définition de l'individualité biologique humaine devient possible : la probabilité de trouver un individu semblable à l'un ou l'autre d'entre nous ne peut pas être inférieure à 1 sur 1 milliard dans une population donnée – blanche, noire, jaune...

Bien entendu, ces marqueurs du polymorphisme ont un grand intérêt en médecine. C'est la découverte progressive des systèmes de groupes sanguins du globule rouge qui a permis la généralisation des transfusions où l'obstacle génétique est parfaitement contourné. Puis, celle des systèmes HLA a été un grand moment de la biologie humaine. Grâce à la conjonction d'une bonne sélection immunogénétique et des médications suppressives de l'immunité, des transplantations d'organes – comme le rein – ou des greffes de tissu – comme la moelle – sont maintenant réalisées, résultat qui paraissait inaccessible il y a quelque vingt années.

L'utilisation des groupes sanguins en génétique humaine a conduit à des découvertes inattendues telles que la double fécondation, les chimères hématopoïétiques, le monozygotisme hétérocaryote.

Le polymorphisme qui définit les groupes sanguins a probablement eu un rôle important dans l'évolution.

Charles Salmon

À propos de la pathologie moléculaire de l'hémoglobine

Les découvertes scientifiques sont souvent le produit d'un travail d'équipe.

Quel est le véritable auteur d'une découverte ?

Presque toutes les grandes découvertes commencent par des observations dont l'intérêt n'apparaît pas sur le moment ; leur importance n'est reconnue que quelques années ou quelques siècles plus tard. Les observateurs du XVIIe siècle ont découvert l'existence de globules rouges dans le sang, mais cette observation capitale resta une curiosité sans utilité jusqu'à ce qu'on ait montré que ces globules transportaient l'oxygène.

Les premiers découvreurs étaient des philosophes de la nature qui, à leurs moments de liberté et à leurs frais, étudiaient un problème qui ne présentait d'intérêt que pour eux seuls ou pour un petit cercle d'amateurs. Leur première motivation était la curiosité, puis l'émotion, puis la passion.

Au milieu du XXe siècle, le travailleur isolé a disparu. Les « philosophes de la Nature » ont été remplacés par des équipes formées par une quantité de professionnels qui comprend des observateurs, des expérimentateurs, des techniciens (de toutes sortes), des administrateurs, des mathématiciens, des financiers, des secrétaires, des éditeurs (dans les deux sens du mot)... On néglige généralement de citer tous les collaborateurs qui ont contribué à la découverte, qui l'ont rendue possible. Il serait bon que la publication de tout travail scientifique comportât, comme le générique d'un film, l'indication du travail de chacun, et qu'apparaisse, comme dans l'industrie du cinéma le nom du directeur, de « l'entrepreneur de recherche » en tant que tel.

Tout cela pour la petite histoire, car les auteurs n'ont d'importance que pour la communauté dont il font partie. Pour l'Histoire, seules les idées comptent. On peut admirer, et étudier, les œuvres de l'école égyptienne de la haute époque ou de l'école surréaliste, sans qu'intervienne le nom des auteurs (qui, dans le premier exemple, resteront à jamais inconnus). Une histoire de l'art, une histoire de la cytologie sanguine, une histoire de la médecine, pourraient être faites sans qu'un seul nom soit cité. Dans son cours au Collège de France, Paul Valéry (encore lui) écrit : « Une histoire de la littérature devrait être comprise, non tant comme une histoire des auteurs et des accidents de leur carrière, ou de celle de leurs ouvrages, que comme une histoire de l'esprit en tant qu'il produit de la littérature, et cette histoire pourrait même se faire sans que le nom d'un écrivain ne soit prononcé. »

Certes, il est vrai qu'un auteur ne représente qu'un maillon entre tous ceux qui l'ont précédé et lui succéderont et qu'il est conditionné par l'environnement dans lequel il a vécu... Et cependant qui peut nier le rôle de l'individu, de sa personnalité, de son talent, de son charisme, de sa chance ?

Petite histoire de la découverte de l'hémoglobine S

La découverte de la présence d'une hémoglobine anormale dans les globules rouges de malades atteints d'anémie à cellules falciformes a introduit le concept révolutionnaire de « pathologie moléculaire ». L'hémoglobine des malades atteints de cette maladie est différente de l'hémoglobine normale par un seul acide aminé et cette modification minime entraîne de graves conséquences. Lorsque la tension d'oxygène baisse, lorsque le malade fait un effort par exemple, les globules rouges prennent un aspect en faucille et deviennent rigides, bloquant ainsi la circulation dans les petits vaisseaux des différents organes ; les plus fréquemment touchés sont la rate, le rein, le cerveau.

On attribue généralement cette immense découverte à Linus Pauling, célèbre pour avoir reçu deux prix Nobel, l'un pour ses découvertes en chimie, l'autre, quelques années plus tard, pour son action en faveur de la paix. Or la reconstitution minutieuse des faits rapportés par différents auteurs conduit à l'histoire suivante :

En 1940, un jeune étudiant de la John Hopkin's University, Irving Sherman, avait observé que les globules rouges falciformes étaient biréfringents. Il cherchait tout autre chose : les différences antigéniques

L'hémoglobine, protéine pigmentée contenue dans les globules rouges, est composée de globuline et de fer. Elle a pour fonction les échanges gazeux entre le sang et les cellules.

entre globules rouges malades et globules rouges normaux ; et cette observation ne lui parut pas avoir de l'intérêt. Toutefois, il en parla à Max Wintrobe (devenu célèbre aujourd'hui), qui lui conseilla de la mentionner dans sa thèse. Déçu par l'hématologie, Sherman devint un brillant neurochirurgien.

En 1944, Murphy et Schapiro lirent le travail de Sherman et interprétèrent cette biréfringence comme due à l'orientation des molécules d'hémoglobine sous l'influence de la dé-oxygénation.

En 1945, William Castle, célèbre professeur de médecine de la Harvard Medical School, avait un malade atteint de cette affection et fit sur ce sujet un certain nombre d'observations cliniques et expérimentales. Un jour qu'il se rendait à Chicago pour un congrès, il rencontra dans le train le chimiste Linus Pauling. Ils parlèrent de toutes sortes de sujets et, incidemment, des cellules falciformes ; Castle fit remarquer à Pauling que, lorsque ces cellules étaient dé-oxygénées, elles devenaient biréfringentes, et que cette biréfringence devait être due à un alignement des molécules d'hémoglobine.

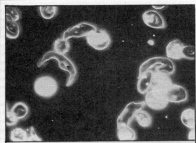

Les hématies prennent la forme d'une faucille, deviennent rigides, et font obstacle à une bonne circulation.

En rentrant chez lui, Pauling repensa à cette conversation et (comme il l'a rapporté plus tard) se dit que les relations entre l'absence d'oxygène et la biréfringence indiquaient clairement que l'hémoglobine des malades devait être anormale.

En 1946, Pauling, qui travaillait au California Institute of Technology, à Pasadena, proposa à un jeune chimiste, Harvey Itano, d'étudier dans son laboratoire l'hémoglobine des malades atteints d'anémie à cellules falciformes. Deux autres étudiants l'aidèrent ensuite dans sa tâche : S. Singer et I. Wells. Ils ne trouvèrent rien d'intéressant.

En 1948, on construisit au laboratoire un appareil à électrophorèse de Tyselius. Itano et Singer eurent l'idée de mesurer la mobilité électrophorétique de l'hémoglobine des malades et observèrent qu'elle avait une mobilité différente de l'hémoglobine normale. Pauling avait quitté Pasadena pour une année sabbatique en Europe.

En 1949, les résultats de ces études furent publiés dans le journal *Science* par Pauling, Itano et Singer.

En 1950 et 1951, Itano découvrit d'autres hémoglobines anormales (C et D).

En 1957, Ingram a montré que l'hémoglobine S différait de l'hémoglobine normale par un sel amoni-acide (une valine remplaçait un acide glutamique dans la position 6 des chaînes ß).

Beaucoup d'hématologistes pensent que Pauling a reçu le prix Nobel pour sa découverte de l'hémoglobine S et se demandent pourquoi Itano et Singer ne l'ont pas partagé, puisque Pauling, qui leur avait indiqué le sujet, n'avait pas participé aux travaux et ne les avait même pas supervisés. Ils oublient que Pauling a reçu le prix Nobel de chimie pour un sujet tout à fait différent : ses études sur les liaisons chimiques.

A qui revient alors le mérite de la découverte de l'hémoglobine S ?

Sans Pauling, Itano aurait poursuivi d'autres recherches aussi brillantes sans doute, mais sur un autre sujet. Sans Castle, Pauling n'aurait jamais pensé qu'il fallait chercher des différences chimiques entre les deux hémoglobines. Sans Sherman, Castle n'aurait pas parlé à Pauling de la biréfringence des globules rouges malades. Et sans Wintrobe, Sherman n'aurait pas mentionné dans sa thèse une observation qui lui semblait peu importante...

A propos de la signature d'un article scientifique, un de mes amis a l'habitude d'invoquer le coefficient delta, attribué mentalement à chaque auteur (par exemple : 10 % aux deux premiers auteurs, 75 % au troisième, 5 % au quatrième, etc.). Sans doute le travail qui a permis la découverte de plus de 300 hémoglobines anormales, et introduit le concept de « pathologie moléculaire », vaut-il bien un prix Nobel. Il resterait à attribuer à chacun un coefficient delta...

Marcel Bessis

Une maladie du globule rouge, le paludisme

Vieille maladie de l'érythrocyte, battue par l'histoire, la fièvre des marécages, que jugulait le quinquina des Indiens, reste de nos jours l'une des premières causes mondiales de mortalité et de morbidité.

Pourtant, lorsqu'en 1830 Pelletier et Caventou avaient extrait de la « poudre des jésuites » le principe actif du quinquina, la quinine, et que, cinq décennies plus tard, Charles-Alphonse Laveran découvrait l'hématozoaire responsable de l'affection, tandis que Ronald Ross, aux Indes, établissait la transmission vectorielle par un moustique, ne pensait-on pas légitimement suffisantes nos connaissances et maîtrisable le paludisme des corps expéditionnaires ou des explorateurs tropicaux ?

Il fallut cependant attendre deux guerres mondiales pour que l'usage des antipaludiques de synthèse, plus maniables que l'historique quinine, prescrits à titre préventif, associés à l'épandage d'insecticides de contact aux effets rémanents, permette d'échafauder la théorie de « l'éradication » du paludisme. Érigée en dogme par des statisticiens et experts, pas toujours familiarisés aux difficultés de la guérilla dans les marais ou sous les tropiques, ceux-ci affirmaient pourtant que la disparition totale et définitive de la malaria constituait un objectif accessible.

Beaucoup d'argent fut gaspillé dans cette folle entreprise. La malaria resta maître du terrain et l'hématozoaire continue plus que jamais à pénétrer l'hématie.

Pourtant, nos connaissances se sont intimisées. De l'observation microscopique jusqu'à la biologie moléculaire, les acquisitions sont d'importance. Elles ont même laissé espérer la mise au point d'un vaccin antipaludique relayant la chimiothérapie et la chimioprévention, devenues dans certains cas inefficaces ou insuffisantes.

En fait, il n'en est rien et, si remarquables que soient nos acquisitions récentes, elles n'ont pas permis de juguler l'affection. Le paludisme tue encore un à deux millions de sujets par an dans le monde sur une population exposée de plus d'un milliard d'hommes...

Un remarquable exemple des progrès accomplis est fourni sous le microscope, dans certaines conditions d'observation, par le premier acte de l'érythrocytopathie qu'est le paludisme : la pénétration du mérozoïte à l'intérieur du globule rouge. Cela n'a rien d'un viol et s'accomplit tout en douceur ; c'est pourtant le début d'un drame qui aboutira à la dégradation et à la rupture de l'hématie parasitée, amorce d'une hémolyse parfois mortelle.

L'élément contaminant, le mérozoïte, reconnaît, à la surface du globule rouge, une structure spécifique qui lui permet de s'y attacher. Rapidement, les parois du parasite et du globule s'accolent et le mérozoïte pénètre dans l'hématie au sein d'une vacuole dont l'enveloppe est formée par la double paroi du parasite et de la cellule-hôte. Au sein de ce parasite intraglobulaire se différencie bientôt une vacuole nutritive contenant de nombreux enzymes dont le pH optimal de fonctionnement est acide.

Pour se développer dans le globule rouge, le parasite doit intégrer l'hémoglobine de celui-ci dans la vacuole nutritive et la dégrader grâce à

Le paludisme tue encore un à deux millions de personnes par an dans le monde : plus d'un milliard d'hommes sont exposés à la contamination.

ses systèmes enzymatiques fonctionnant à pH acide. L'un des produits de dégradation de ce « gobage » de l'hémoglobine par le parasite est la ferriprotoporphyrine IX, constituant du futur pigment éjecté ultérieurement de la vacuole dans l'hématie. Par un effet de base faible, la chloroquine, antipaludique de synthèse, agirait sur le pH de la vacuole parasitaire qui, en s'élevant, inhiberait l'action des enzymes indispensables à la croissance du parasite ; ou bien la formation d'un complexe chloroquino-ferriprotoporphyrine IX serait toxique pour les membranes parasitaires ; ou bien enfin l'intercalation de la chloroquine dans l'ADN parasitaire empêcherait la replication du parasite.

On pourrait mutiplier les exemples de progrès, tant au niveau de la cellule que des processus immunitaires, permettant de mieux comprendre le mode d'action des antipaludiques utilisés à titre préventif et curatif ou d'orienter nos recherches en vue d'obtenir un vaccin antipaludique efficace.

Mais, à force d'accréditer l'imminence de la vaccination antipaludique, n'a-t-on pas démobilisé l'industrie pharmaceutique, dévoyé la recherche et bluffé l'opinion ? Nous savons tous que rien d'opérationnel ne peut être envisagé avant cinq ans au moins et que, « génie génétique » ou pas, le vaccin s'éloigne au fur et à mesure que s'intimisent nos connaissances de l'hématozoaire et des relations hôte/parasite.

Pr Marc Gentilini

Sang et imaginaire

Directement lié aux plus profondes interrogations de l'humanité, le sang occupe une place essentielle dans la littérature. Magnifié ou déprécié, il s'inscrit dans chaque société, dans une symbolique complexe où filiation, pouvoir, sexe, violence et mort s'entremêlent.

Selon le mythe akkadien de la création, l'homme naquit de la chair et du sang d'un dieu mêlé à de l'argile.

Enki ouvrit la bouche
et dit aux grands dieux :
« Le premier, le septième et le quinzième jour du mois
je préparerai, comme purification, un bain.
Que l'on égorge un dieu
et que les autres dieux se purifient en s'y plongeant.
A la chair et au sang de ce dieu
Que Nintou (Mami) mélange de l'argile ;
afin que dieu même et l'homme
soient mêlés ensemble dans l'argile...
Que de cette chair de dieu il y ait un Esprit ;
vivant, qu'il révèle l'homme par ce signe
pour empêcher l'oubli qu'il y ait un Esprit. »
« Oui », répondirent dans l'Assemblée les grands Anounnaki
qui fixent les destins.

A la chair et au sang de ce dieu
Que Nintou mélange de l'argile ;
afin que Dieu même et l'homme
soient mêlés ensemble dans l'argile...

Le premier, le septième et le quinzième jour du mois,
(Ea) prépare comme purification un bain.
Ils égorgèrent dans leur assemblée
Wê, un dieu qui avait de l'esprit ;
A sa chair et à son sang
Nintou mélangea de l'argile...
de la chair du dieu, il y eut un Esprit !
vivant, il révéla l'homme par ce signe
et pour empêcher l'oubli, il y eut un Esprit.
Lorsqu'elle eut mélangé cette argile
elle appela les Anounnaki, les grands dieux.
Les Igigi, les grands dieux,
crachèrent sur l'argile.
Alors Mami ouvrit la bouche
et dit aux grands dieux :
« Vous m'avez ordonné une œuvre
et je l'ai accomplie.
Vous avez égorgé un dieu avec son esprit
j'ai enlevé votre fardeau
j'ai imposé à l'homme votre labeur...
pour vous j'ai délié le carcan,
j'ai établi la liberté. »

Atra-Hasis
poème akkadien, XVIIe s. av. J.-C.

Dans « les Euménides » d'Eschyle, le créateur de la tragédie grecque (525-456 av. J.-C.), la justice athénienne met fin à la malédiction sanglante pesant sur les Atrides.

APOLLON. – Hors d'ici, je l'ordonne ; sortez vite de cette demeure ; débarrassez le sanctuaire prophétique. Craignez d'être atteintes par le serpent aux ailes blanches lancé par l'arc d'or, qui, sous le coup de la douleur, vous ferait cracher de vos entrailles une noire écume et vomir les caillots de sang que vous avez tirés du meurtre. Ce n'est pas à vous à vous approcher de cette demeure. Votre place est là où la justice abat des têtes, où l'on arrache les yeux, où l'on égorge, où l'on détruit la liqueur séminale chez les enfants en fleur, où l'on tranche l'extrémité des membres, où l'on lapide, où l'on hurle affreusement sous le pal enfoncé dans l'échine. Entendez-vous, monstres maudits des dieux, les fêtes qui font vos délices, et tout votre aspect s'accorde avec ces horreurs. La demeure qui convient à des monstres tels que vous, c'est l'antre du lion buveur de sang, et vous n'avez pas à vous frotter à ce temple fatidique pour lui imprimer votre souillure. Allez-vous-en paître sans berger ; aucun des dieux ne saurait s'intéresser à un pareil troupeau.

LE CORYPHÉE. – Roi Apollon, à ton tour, entends-moi. Tu es toi-même, je ne dirai pas le complice, mais l'unique auteur, entièrement responsable du crime commis.

APOLLON. – Comment cela ? Réponds et borne là ton discours.

LE CORYPHÉE. – C'est ton oracle qui a commandé à ton hôte de tuer sa mère.

APOLLON. – Je lui ai commandé d'aller venger son père. Et après ?

LE CORYPHÉE. – Puis tu lui as promis de l'accueillir aussitôt après le sang versé.

APOLLON – Oui, je lui ai recommandé de chercher un refuge en cette demeure.

LE CORYPHÉE. – Pourquoi donc nous injuries-tu, nous qui l'accompagnons ?

APOLLON – C'est que vous n'êtes pas faites pour entrer dans ma demeure.

LE CORYPHÉE. – Je ne fais que remplir la tâche qui m'a été assignée.

APOLLON. – Quelle est cette honorable fonction ? Vante-nous ce beau privilège.

Nous suivons la piste des gouttes de sang, comme un chien suit le faon blessé...

LE CORYPHÉE. – Pour cet homme-là, ne crois pas que je le laisse jamais tranquille.

APOLLON. – Poursuis-le donc et ajoute encore à tes fatigues.

LE CORYPHÉE. – Ne cherche point, toi, par tes discours, à réduire mes honneurs.

APOLLON. – Tu me les donnerais, tes honneurs, que je n'en voudrais pas.

LE CORYPHÉE. – C'est que tu es, dit-on, assez puissant, assis près du trône de Zeus. Mais moi, le sang d'une mère me pousse. Je poursuivrai ma vengeance sur cet homme et je le pourchasserai.

APOLLON. – Et moi, je lui porterai secours et je sauverai mon suppliant. Car c'est une chose terrible chez les hommes et chez les dieux que le courroux d'un suppliant qu'on a trahi volontairement.

(La scène change. On voit Oreste embrassant la statue d'Athéna, à l'acropole d'Athènes.)

ORESTE. – Reine Athéna, c'est sur l'ordre de Loxias que je suis venu. Reçois avec bienveillance le maudit que tu vois. Je ne suis plus un suppliant aux mains impures : ma souillure est maintenant émoussée ; elle s'est usée au contact des hommes qui m'ont reçu dans leurs maisons ou rencontré sur les routes, tandis que je traversais soit la terre, soit la mer, pour observer les ordres de l'oracle de Loxias, et je viens en ta demeure, et j'embrasse ta statue, déesse, et je reste ici, en attendant l'arrêt de la justice.

LE CORYPHÉE. – Bien : voici un indice manifeste de notre homme. Suis les avertissements de ce dénonciateur muet. Nous suivons la piste des gouttes de sang, comme un chien suit le faon blessé. Mais la fatigue m'excède et fait haleter ma poitrine ; car j'ai parcouru toute la terre et j'ai volé sans ailes par-dessus la mer à sa poursuite et je suis arrivée aussi vite que son navire. Cette fois, il est ici, tapi quelque part. L'odeur du sang humain me rit.

LE CHŒUR. – Prends garde, prends bien garde, regarde partout ; qu'il ne fuie pas inaperçu, impuni, le meurtrier de sa mère.

– Il a encore trouvé une défense : enlacé à la statue d'une déesse immortelle, il demande que l'acte de son bras soit jugé.

– Demande irrecevable ! le sang maternel une fois à terre n'est pas, hélas ! facile à ramener ; le liquide répandu sur le sol disparaît à jamais.

– Il faut qu'en échange je puise en ton corps vivant la rouge offrande de ton sang et que je me rassasie sur toi d'une boisson amère.

– Et quand je t'aurai séché tout vivant, je t'entraînerai sous la terre, pour que tu subisses les supplices dus à ton parricide.

– Tu verras là tous les mortels impies qui ont offensé ou un dieu, ou un hôte, ou leurs père et mère, chacun soumis à la peine qu'il a méritée.

– Hadès est un grand juge auquel les mortels doivent rendre leurs comptes sous la terre : il voit tout et inscrit tout dans sa mémoire.

Eschyle,
les Euménides

Chez l'encyclopédiste Pline (23-79 avant J.-C.), c'est une vision anthropologique traditionnelle de la femme qui prévaut : les menstruations sont impures et nuisibles.

La femme est le seul être qui ait un flux menstruel (...). L'approche d'une femme en cet état fait tourner les moûts ; à son contact, les céréales deviennent stériles, les greffons meurent, les plantes des jardins sont brûlées, les fruits des arbres sous lesquels elle s'est assise, tombent ; l'éclat des miroirs se ternit rien que par son regard, la pointe du fer s'émousse, le brillant de l'ivoire s'efface, les ruches des abeilles meurent ; même le bronze et le fer sont aussitôt attaqués par la rouille et le bronze contracte une odeur affreuse ; enfin, la rage s'empare des chiens qui goûtent de ce liquide, et leur morsure inocule un poison sans remède. Il y a plus : le bitume, cette substance tenace et visqueuse qui, à une époque précise de l'année, surnage sur un lac de Judée, qu'on appelle Asphaltites, ne se laisse diviser par rien, il adhère à tout ce qu'il touche, sauf par un fil infecté de ce poison. On dit que même les fourmis, ces bêtes minuscules, y sont sensibles : elles

L'approche d'une femme en cet état fait tourner les moûts...

rejettent les grains qu'elles portaient et ne les reprennent plus par la suite. Ce flux si curieux et si pernicieux apparaît tous les trente jours chez la femme et, à larges flots, tous les trois mois ; chez quelques femmes, plus souvent que tous les mois et chez certaines jamais. Dans ce dernier cas, la procréation n'est pas possible, car ce sang forme la matière de l'être qui doit naître : la semence du mâle, telle une présure, le coagule en une masse qui, avec le temps, prend vie et corps. C'est pourquoi, si, malgré la grossesse, le flux persiste, Nigidius soutient que les enfants naissent débiles ou non viables ou encore pleins de sanie.

Pline l'Ancien
Histoire naturelle,
Livre VII, XV-13, 14

Baignant dans l'horreur, le doute et la violence, dominé par la nuit et ses angoisses, le drame de Shakespeare, représenté en 1606, est hanté par l'obsession du sang meurtrier.

> *Entrent Macbeth et Lenox.*
>
> MACBETH – Que ne suis-je mort une heure avant cet événement ! j'aurais eu une vie bénie. Dès cet instant, il n'y a plus rien de sérieux dans ce monde mortel : tout n'est que hochet. La gloire et la grâce sont mortes ; le vin de la vie est tiré, et la lie seule reste à cette cave pompeuse.
>
> *Entrent Malcom et Donalbain.*
>
> DONALBAIN – Quel malheur y a-t-il ?
>
> MACBETH – Vous existez, et vous ne le savez pas ! La fontaine primitive et suprême de votre sang est tarie, tarie dans sa source.
>
> MACDUFF – Votre royal père est assassiné.
>
> MALCOLM – Oh ! par qui ?
>
> LENOX – Par les gens de sa chambre, suivant toute apparence. Leurs mains et leurs visages étaient tout empourprés de sang, ainsi que leurs poignards que nous avons trouvés, non essuyés, sur leur oreiller. Ils avaient l'œil fixe, et étaient effarés. A les voir, on ne leur eût confié la vie de personne.
>
> MACBETH – Oh ! pourtant je me repens du mouvement de fureur qui me les a fait tuer !
>
> MACDUFF – Pourquoi les avez-vous tués ?
>
> MACBETH – Qui peut être sage et éperdu, calme et furieux, loyal et neutre à la fois ? Personne. La précipitation de mon dévouement violent a devancé la raison plus lente. Ici gisait Duncan ; sa peau argentine était lamée de son sang vermeil, et ses blessures béantes semblaient une brèche à la nature faite pour l'entrée

Leurs mains et leurs visages étaient tout empourprés de sang, ainsi que leurs poignards...

> dévastatrice de la ruine. Là étaient les meurtriers, teints des couleurs de leur métier, leurs poignards ayant une gaine monstrueuse de caillots. Quel est donc l'être qui, ayant un cœur pour aimer et du courage au cœur, eût pu s'empêcher de prouver alors son amour ?
>
> LADY MACBETH – A l'aide ! Emmenez-moi d'ici.
>
> MACDUFF – Prenez soin de madame.
>
> (...)

William Shakespeare,
Macbeth, Acte II, scène III

Le sang, dans « le Cid » de Pierre Corneille (1636), fonde la lutte tragique entre amour et devoir : lié à la filiation, il symbolise à la fois la mort et l'ardeur de la jeunesse.

ACTE III, SCÈNE IV

DON DODRIGUE, CHIMÈNE,
ELVIRE

DON RODRIGUE

Eh bien ! sans vous donner la peine de
[poursuivre,
Assurez-vous l'honneur de
[m'empêcher de vivre.

CHIMÈNE

Elvire, où sommes-nous, et qu'est-ce
[que je vois ?
Rodrigue en ma maison ! Rodrigue
[devant moi !

DON RODRIGUE

N'épargnez point mon sang : goûtez
[sans résistance
La douleur de ma perte et de votre
[vengeance.

CHIMÈNE

Hélas !

DON RODRIGUE

Écoute-moi.

CHIMÈNE

Je me meurs.

DON RODRIGUE

Un moment.

CHIMÈNE

Va, laisse-moi mourir.

DON RODRIGUE

Quatre mots seulement :
Après ne me réponds qu'avecque cette
[épée.

CHIMÈNE

Quoi ! du sang de mon père encor
[toute trempée !

DON RODRIGUE

Ma Chimène...

CHIMÈNE

Ote-moi cet objet odieux,

Qui reproche ton crime et ta vie à mes
[yeux.

DON RODRIGUE

Regarde-le plutôt pour exciter ta
[haine,
Pour croître ta colère et pour hâter ma
[peine.

CHIMÈNE

Il est teint de mon sang.

DON RODRIGUE

Plonge-le dans le mien,
Et fais-lui perdre ainsi la teinture du
[tien.

ACTE PREMIER, SCÈNE V

DON DIÈGUE, DON RODRIGUE

DON DIÈGUE

Rodrigue, as-tu du cœur ?

DON RODRIGUE

Tout autre que mon père
L'éprouverait sur l'heure.

DON DIÈGUE

Agréable colère !
Digne ressentiment à ma douleur bien
[doux !
Je reconnais mon sang à ce noble
[courroux;
Ma jeunesse revit en cette ardeur si
[prompte.
Viens, mon fils, viens, mon sang, viens
[réparer ma honte;
Viens me venger.

Pierre Corneille,
Le Cid

Senèque meurt après s'être ouvert les veines sur l'ordre de Néron

La mort à l'antique de Zénon, maîtrisée et stoïque, acte à la fois esthétique et philosophique, est conforme aux idéaux du héros de « l'Œuvre au noir ».

Il s'étendit sur le lit, calant sa tête sur le dur oreiller. Il eut un retour vers le chanoine Campanus que cette fin remplirait d'horreur, et qui pourtant avait été le premier à lui faire lire les Anciens dont les héros périssaient de la sorte, mais cette ironie crépita à la surface de son esprit sans le distraire de son seul but. Rapidement, avec cette dextérité de chirurgien-barbier dont il s'était toujours fait gloire parmi les qualités plus prisées et plus incertaines du médecin, il se plia en deux, relevant légèrement les genoux, et coupa la veine tibiale sur la face externe du pied gauche, à l'un des endroits habituels de la saignée. Puis, très vite, redressé, et reprenant appui sur l'oreiller, se hâtant pour prévenir la syncope toujours possible, il chercha et taillada à son poignet l'artère radiale. La brève et superficielle douleur causée par la peau tranchée fut à peine perçue. Les fontaines jaillirent ; le liquide s'élança comme il le fait toujours, anxieux, eût-on dit, d'échapper aux labyrinthes obscurs où il circule enfermé. Zénon laissa pendre le bras gauche pour favoriser la coulée. La victoire n'était pas encore complète ; il pouvait se faire qu'on entrât par hasard, et qu'on le traînât demain sanglant et bandé au bûcher. Mais chaque minute qui passait était un triomphe. Il jeta un coup d'œil sur la couverture déjà noire de sang. Il comprenait maintenant qu'une notion grossière fît de ce liquide l'âme elle-même, puisque l'âme et le sang s'échappaient ensemble. Ces antiques erreurs contenaient une vérité simple. Il songea, avec l'équivalent d'un sourire, que l'occasion était belle pour compléter ses vieilles expériences sur la systole et la diastole du cœur. Mais les connaissances acquises ne comptaient désormais pas plus que le souvenir des événements ou des créatures rencontrées ; il se rattachait pour quelques moments encore au mince fil de la personne, mais la personne délestée ne se distinguait plus de l'être. Il se redressa avec effort, non parce qu'il lui importait de le faire, mais pour se prouver que ce mouvement était encore possible. Il lui était souvent arrivé de rouvrir une porte, simplement pour attester qu'il ne l'avait pas derrière lui fermée à jamais, de se retourner vers un passant quitté pour nier la finalité d'un départ, se démontrant ainsi à soi-même sa courte liberté d'homme. Cette fois, l'irréversible était accompli.

Son cœur battait à grands coups ; une activité violente et désordonnée régnait dans son corps comme dans un pays en déroute, mais où tous les combattants n'ont pas encore mis bas les armes ; une sorte d'attendrissement le prenait pour ce corps qui l'avait bien servi, qui aurait pu vivre, à tout prendre, une vingtaine d'années de plus, et qu'il détruisait ainsi sans pouvoir lui expliquer qu'il lui épargnait de la sorte de pires et plus indignes maux. Il avait soif, mais aucun moyen d'étancher cette soif. De même que les quelque trois quarts d'heure qui s'étaient écoulés depuis son retour dans cette chambre avaient été bondés d'une infinité presque inanalysable de pensées, de sensations, de gestes se succédant à une vitesse d'éclair, l'espace de quelques coudées qui séparait le lit de la table s'était dilaté à l'égal de celui qui s'approportionne entre les sphères : le gobelet d'étain flottait comme au fond d'un autre monde. Mais cette soif cesserait bientôt. Il avait la mort d'un de ces blessés réclamant à boire à l'orée d'un champ de bataille, et qu'il englobait avec soi dans la même froide pitié. Le sang de la veine tibiale ne coulait plus que par saccades ; péniblement, comme on soulève un

poids énorme, il parvint à déplacer son pied pour le laisser pendre hors du lit. Sa main droite continuant à serrer la lame s'était légèrement coupée à son tranchant, mais il ne sentait pas la coupure. Ses doigts s'agitaient sur sa poitrine, cherchant vaguement à déboutonner le col de son pourpoint ; il s'efforça en vain de réprimer cette agitation inutile, mais ces crispations et cette angoisse étaient bon signe. Un frisson glacial le traversa comme au début d'une nausée : c'était bien ainsi. A travers les bruits de cloches, de tonnerre et de criards oiseaux regagnant leurs nids qui frappaient du dedans ses oreilles, il entendit au-dehors le son précis d'un égouttement : la couverture saturée ne retenait plus le sang qui s'écoulait sur le carreau. Il essaya de calculer le temps qu'il faudrait pour que la flaque rouge s'allongeât de l'autre côté du seuil, par-delà la frêle barrière de linge. Mais peu importait : il était sauvé. Même si par malchance Hermann Mohr ouvrait bientôt cette porte aux verroux lents à tirer, l'étonnement, la peur, la course le long des escaliers à la recherche de secours laisseraient à l'évasion le temps de s'accomplir. On ne brûlerait demain qu'un cadavre.

L'immense rumeur de la vie en fuite continuait : une fontaine à Eyoub, le ruissellement d'une source sortant de terre à Vaucluse en Provence, un torrent entre Ostersund et Frösö se pensèrent en lui sans qu'il eût besoin de se rappeler leurs noms. Puis, parmi tout ce bruit, il perçut un râle. Il respirait par grandes et bruyantes aspirations superficielles qui n'emplissaient plus sa poitrine ; quelqu'un qui n'était plus tout à fait lui, mais semblait placé un peu en retrait sur sa gauche, considérait avec indifférence ces convulsions

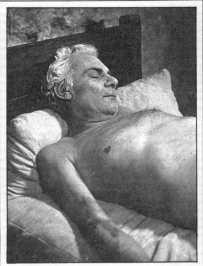

Il comprenait maintenant qu'une notion grossière fit de ce liquide l'âme elle-même, puisque l'âme et le sang s'échappaient ensemble...

d'agonie. Ainsi respire un coureur épuisé qui atteint au but. La nuit était tombée, sans qu'il pût savoir si c'était en lui ou dans la chambre : tout était nuit. La nuit aussi bougeait : les ténèbres s'écartaient pour faire place à d'autres, abîme sur abîme, épaisseur sombre sur épaisseur sombre. Mais ce noir différent de celui qu'on voit par les yeux frémissait de couleurs issues pour ainsi dire de ce qui était leur absence : le noir tournait au vert livide, puis au blanc pur ; le blanc pâle se transmutait en or rouge sans que cessât pourtant l'originelle noirceur, tout comme les feux des astres et l'aurore boréale tressaillent dans ce qui est quand même la nuit noire. Un instant qui lui sembla éternel, un globe écarlate palpita en lui ou en dehors de lui, saigna sur la mer. Comme le soleil d'été dans les régions polaires, la sphère éclatante parut hésiter, prête à descendre d'un degré vers le nadir, puis, d'un sursaut imperceptible, remonta vers le zénith,

se résorba enfin dans un jour aveuglant qui était en même temps la nuit.

Il ne voyait plus, mais les bruits extérieurs l'atteignaient encore. Comme naguère à Saint-Cosme, des pas précipités résonnèrent le long du couloir : c'était le porte-clef qui venait de remarquer sur le sol une flaque noirâtre. Un moment plus tôt, une terreur eût saisi l'agonisant à l'idée d'être repris et forcé à vivre et à mourir quelques heures de plus. Mais toute angoisse avait cessé : il était libre ; cet homme qui venait à lui ne pouvait être qu'un ami. Il fit ou crut faire un effort pour se lever, sans bien savoir s'il était secouru ou si au contraire il portait secours. Le grincement des clefs tournées et des verrous repoussés ne fut plus pour lui qu'un bruit suraigu de porte qui s'ouvre. Et c'est aussi loin qu'on peut aller dans la fin de Zénon.

Marguerite Yourcenar,
L'Œuvre au noir

GLOSSAIRE

A.B.O système de groupes sanguins découvert en 1900 par Landsteiner

A.D.N acide désoxyribonucléique, porteur du patrimoine génétique et situé dans le noyau des cellules

Agglutination rassemblement des globules rouges de deux sangs incompatibles

Allo-immunisation apparition d'anticorps dans un organisme à la suite de transfusions ou de grossesse

Anémie maladie due à une diminution des globules rouges

Angiographie radiographie des vaisseaux après injection d'un liquide opaque aux rayons X

Angioplastie réparation d'un vaisseau à l'aide de l'angiographie

Anti-A anticorps du sérum des personnes du groupe B

Anti-B anticorps du sérum des personnes du groupe A

Anticoagulant substance utilisée pour conserver au sang sa fluidité

Anticorps protéines du sérum, se fixant sur les substances opposées ou antigènes dans une réaction de défense contre un corps étranger

Antigène substance qui déclenche la fabrication d'anticorps

Artériosclérose durcissement pathologique et progressif de la paroi interne des artères

Athérome lésion de la surface interne d'une artère, sous forme de plaque

Capillaires vaisseaux sanguins extrêmement fins, très nombreux, reliant les artères aux veines

Centrifugation séparation des différents composants du sang, en fonction de leur densité

Coagulation ensemble de phénomènes plasmatiques aboutissant à la formation du caillot

Cytaphérèse prélèvement de globules blancs ou de plaquettes avec restitution des globules rouges et du plasma au donneur

Embolie obstruction brutale d'un vaisseau par un caillot

Enzyme substance protéinique facilitant une réaction biochimique

Fibrine protéine filamenteuse, insoluble, nécessaire à la coagulation

Fibrinogène substance soluble, présente dans le plasma, se transformant en fibrine sous l'effet de la thrombine

Gènes structures d'A.D.N. responsables de la transmission des caractères héréditaires, localisés sur les chromosomes

Globules blancs ou leucocytes ; cellules du sang chargées de la défense de l'organisme

Globules rouges ou érythrocytes ou hématies ; cellules du sang transportant l'oxygène

Globulines protéines contenues dans le plasma ou le sérum

Hématologie science du sang

Hématies globules rouges

Hémoglobine protéine pigmentée contenue dans les globules rouges composée de globuline et de fer, captant et libérant l'oxygène

Hémophilie affection due à un déficit héréditaire de la coagulation

Hémostase ensemble des mécanismes aboutissant à la formation d'un caillot sanguin (primaire = plaquettaire, secondaire = plasmatique)

H.L.A. système de marqueurs des globules blancs, présents sur l'ensemble des cellules de l'organisme

Immunoglobulines protéines contenues dans le sérum et porteuses des anticorps naturels ou provoqués pour protéger l'organisme

Leucémie maladie des globules blancs, privant l'organisme de ses moyens de défense

Lymphe liquide contenant de nombreuses protéines et des lymphocytes

Lymphocytes catégorie de globules blancs

Moelle osseuse tissu contenu dans la plupart des os, producteur des cellules sanguines

Phagocytose absorbtion des cellules et des bactéries par les globules blancs

Plaquettes cellules sanguines intervenant dans l'hémostase

Polynucléaire catégorie de globules blancs

Pression artérielle pulsion exercée par le sang sur la paroi des artères

Protéines substances azotées présentes dans tous les éléments vivants

Sérum plasma sans fibrinogène ni facteur de coagulation

Sténose rétrécissement d'un conduit ou d'un organe

Thrombine substance chimique qui transforme le fibrinogène en fibrine

Thrombocytes plaquettes

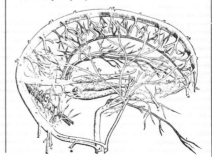

BIBLIOGRAPHIE

Ouvrages généraux
Bernard Jean *Le Sang et l'histoire*,
Buchet-Chastel, Paris 1983.

Bernard Jean *Le Sang des hommes*,
Buchet-Chastel, Paris.

Cagnard J.-P. *La Transfusion sanguine*,
C.N.T.S., Paris.

Gorny Philippe *Histoire de la cardiologie*,
Dacosta, Paris 1985.

Héritier Jean *La Sève et le sang*, Denoël,
Paris 1987.

Moullec Jean *La Tranfusion sanguine*, Que
sais-je ? P.U.F., Paris 1980.

Roux Jean-Paul *Le Sang, mythes, symboles
et réalités*, Fayard, Paris 1988.

Soulier Jean-Pierre *Le Sang, introduction à
l'hématologie et à la transfusion*, Flammarion
1983.

Soustelle Jacques *La Vie quotidienne des
Aztèques*, Livre de Poche Hachette, 1955.

Verdier Yvonne *Façons de dire,
façons de faire*, N.R.F.
Gallimard, Paris 1979.

Ouvrages scientifiques

Bernard Jean,
Ruffié Jacques
Hématologie géographique,
Masson, Paris 1972.

Bernard Jean, Levy Jean-Pierre et Varet
Bernard *Hématologie*, Flammarion, Paris
1976.

Bessis Marcel *Réinterprétation des frottis
sanguins*, Masson/Springer, Paris 1981.

Caen Jacques *Le Cœur et ses vaisseaux*,
Hermann 1984.

Dausset Jean et Pla Marika *H.L.A.,
complexe majeur d'histocompatibilité de
l'homme*, Flammarion Médecine-Sciences
1985.

Dausset Jean *Immuno-hématologie
biologique et clinique*, E.M.F. Paris.

Debru Claude *L'Esprit des protéines*,
Herman.

Goudemand Maurice, Salmon
Charles *Immuno-hématologie et immuno-
génétique*, Flammarion Médecine-Sciences,
Paris 1985.

Kourilsky Philippe *Les Artisans de
l'hérédité*, Odile Jacob 1987.

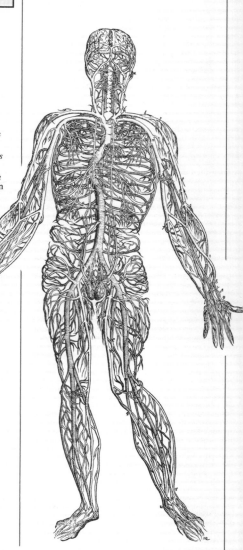

TABLE DES ILLUSTRATIONS

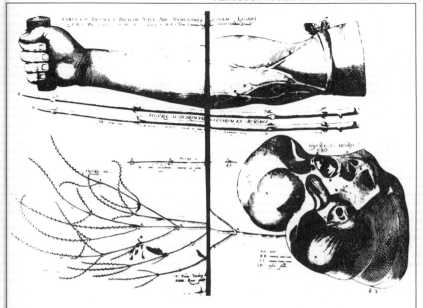

COLLABORATEURS EXTERIEURS

L'iconographie de cet ouvrage a été rassemblée par l'équipe de documentation de l'exposition ainsi que par Nicole Bonnetain et Odile Felgine qui a également participé à la mise au point des textes. Alexandre Coda a assuré la lecture-revision. Christophe Saconney a réalisé la maquette des « Témoignages et Documents ».

CRÉDITS PHOTOGRAPHIQUES

Adosen, 92, 93. Assistance Publique, 40h, 86, 87. Arthephot-Ziollo, 1. Boehringer/Lennart Wilson, 2, 3, 4, 5, 6, 7, 62, 63, 94h. Bibl. nat., 24, 50, 51, 67, 102. Bessis Marcel, 58, 59. Bibliothèque Interuniversitaire de médecine, 48g, 48d. Bulloz, 15. Charmet, Jean-Loup, 25, 27, 50b, 104. A. Chevance, 53h. C.N.R.I, couverture dos, 33, 41h, 41bg, 41bd, 42 43, 44 53, 54, 55, 56, 57, 63, 105, 109. C.N.T.S, 89h, 89b, 90h, 90b, 92, 93. Croix-Rouge, 80. Dagli Orti, 9, 11, 22h et b, 46, 56. Delpech, 49d. D.R, 12hb, 14, 26, 28, 29h et b, 30, 31, 40h, 40b, 44, 48hb, 49hb, 61, 68, 69b, 71, 73, 78, 79, 87, 97, 112, 115, 118. Edimedia, 4e couverture, 77 (Archives Snark international). Franco Maria Ricci, 1er plat de couverture, 34, 35, 36, 37, 38, 39. Gamma Christian Vioujard, 105. Giraudon, 10, 15, 16/17, 18/19, 74/75, 98, 101. Hôpital Percy, Centre de transfusion sanguine des Armées, 84, 85, 86. Inserm, 55, 60b, 64, 72b. Institut Pasteur, 47, 62, 69h, 72, 94hd. Jacana, 70 (Collection Varin Visage). Jerrican, 94, 95 ph Daudier. Lajoux, Jean-Dominique, p. 23. Laboratoire de médecine nucléaire, hôpital Saint-Louis, 52. Magnum, 66, 76, phot. Erich Hartmann. Musée national d'Art moderne, centre Georges-Pompidou, 65 45. R.M.N, 13, 30, 119. Scala, 20h, 21h, 21b, 114. Sibiril, 60h, 108. Sipa Press, 88, phot. Persuy. Sygma, 120d et g, phot. J.-M. Leroy. Roger-Viollet, 91, 96, 109, Arling-Viollet, 116. © N.D. Viollet, 111. Boyer-Viollet, 83. ADAGP 1, 65, 74/75. SPADEM 45.

Table des matières

REMERCIEMENTS

L'auteur remercie les membres du comité scientifique de l'exposition « Le sang des hommes » sans lesquels ce livre n'aurait pu être écrit, et plus particulièrement : Béatrice André, Pierre Golliet, Françoise Héritier-Augé, Pierre Legendre, l'équipe du Pr Leroi-Gourhan, Nicole Loraux, J. Maurin, François Raveau, Yvonne Verdier, sans oublier Jean Bernard et Marcel Bessis.

Les Éditions Gallimard et la Cité des Sciences et de l'Industrie tiennent à remercier les personnes et les organismes suivants pour l'aide qu'ils leur ont apportée dans la réalisation de ce livre : l'association pour le Don du sang dans l'Éducation nationale, le Pr M. Bessis, le Centre national de transfusion sanguine, Madame Chevance, la Fédération française des donneurs de sang bénévoles, l'hôpital Percy et le Centre de transfusion des Armées, l'Inserm, le laboratoire de médecine nucléaire de l'hôpital Saint-Louis, les laboratoires Boehringer Ingelheim France, l'organisation de la Croix Rouge, Anne et Daniel Reyss.